MARIE DE HENNEZEL

Psychologue clinicienne, Marie de Hennezel a travaillé dix ans en soins palliatifs puis elle a été chargée de mission au ministère de la Santé sur les questions de la fin de vie. Actuellement, elle anime des séminaires pour les seniors sur l'art de bien vieillir. Elle est l'auteur de *La Mort intime* (Robert Laffont, 2001), préfacée par François Mitterrand, qui a rencontré un succès retentissant. Elle publiera également *L'Art de mourir* (Robert Laffont, 1997), ouvrage écrit en collaboration avec Jean-Yves Leloup, *Nous ne nous sommes pas dit au revoir* (Robert Laffont, 2000), *Le Souci de l'autre* (Robert Laffont, 2004), *Mourir les yeux ouverts* (Albin Michel, 2005), *Une vie pour se mettre au monde* (Carnets nord, 2011), écrit en collaboration avec le philosophe Bertrand Vergely, et *Qu'allons-nous faire de vous ?* (Carnets nord, 2011) écrit en collaboration avec Édouard de Hennezel. Son dernier ouvrage, *Nous voulons tous mourir dans la dignité*, a paru en 2013 aux Éditions Robert Laffont.

Retrouvez toute l'actualité de l'auteur sur :
www.versilioslog.com/mariedehennezel

LE SOUCI DE L'AUTRE

MARIE DE HENNEZEL

LE SOUCI
DE L'AUTRE

ROBERT LAFFONT

© Éditions Robert Laffont,
S.A., Susanna Lea Associates, Paris, 2004
ISBN : 978-2-266-14609-8

Imprimé en France par

CPi
BUSSIÈRE

à Saint-Amand-Montrond (Cher)
en novembre 2013
POCKET – 12, avenue d'Italie – 75627 Paris Cedex 13

N° d'impression : 2005527
Dépôt légal : mars 2005
Suite du premier tirage : novembre 2013
S14609/08

« Il suffit que deux êtres humains, père et fils, maître et serviteur, ou tout simplement deux inconnus en voyage se trouvent face à face pour que se noue entre eux un pacte réglant leur relation. C'est ce qu'on appelle "humanité" ou, en d'autres termes, le "souci de l'autre", la faculté qu'a un être humain de se mettre en pensée à la place d'un autre. »

YASUSHI INOUÉ, *Confucius*

Responsable d'autrui

Mon ami Jean-Pierre Améris[1] m'a raconté l'histoire suivante. Alors qu'il préparait un film[2] dont le personnage principal était un employé des pompes funèbres, il avait décidé de faire un stage avec son assistant dans une petite entreprise funéraire, pour mieux sentir ce que vivait son héros.

Un jour, le patron lui fait cette demande surprenante : « Jean-Pierre, je voudrais vous demander un service. Nous avons un client, un homme de quarante-neuf ans, qui vient de mourir d'une cirrhose du foie dans un foyer logement. Ce client est venu il y a quelques mois pour payer son enterrement d'avance. Il a choisi la plus belle prestation possible : cercueil en acajou doublé de satin, cérémonie à l'église avec messe, homélie, chants, musique, bénédiction au cimetière, etc. Il se trouve qu'il est totalement seul. Pas de familles, pas d'amis. Même les voisins du foyer ne se sont pas manifestés. Il faut pourtant que nous assurions la prestation qu'il a demandée. Et le prêtre ne peut pas célébrer des funérailles dans une église vide ! Pourriez-vous assister à cet enter-

1. Jean-Pierre Améris est le réalisateur du film *C'est la vie*, inspiré de mon livre *La Mort intime*, Robert Laffont, Paris, 1995.
2. *Poids léger*, film produit par Philippe Godeau et qui sortira avant l'été 2004.

rement avec votre assistant et jouer le rôle de la famille ? »

Jean-Pierre accepte. Les deux hommes, en costume noir, se retrouvent donc dans une belle église vide, à côté d'un cercueil où repose le corps d'un inconnu. Étrange sensation. Tant de fastes – la musique de l'orgue, les chants, l'encens – contrastent douloureusement avec l'assistance réduite à eux seuls. Mal à l'aise, ils sont tentés parfois de rire sous cape tant la situation leur paraît incongrue.

Voilà que le prêtre entame son homélie. Il ne sait presque rien du défunt dont il célèbre les funérailles. Comment parler d'un inconnu ? Pourtant il s'adresse à Jean-Pierre et à son compagnon, qu'il suppose être d'anciens amis de ce Bruno qui a terminé sa vie si seul, il leur parle de la miséricorde de Dieu, de l'entrée dans la Vie éternelle. Ses mots sont simples, émouvants. Et Jean-Pierre écoute. Une certaine émotion l'envahit à la pensée de l'existence misérable de cet homme couché dans le cercueil. Malgré lui, il se sent concerné et se surprend à prier. Bruno n'est plus un inconnu anonyme, plutôt un frère inconnu – un frère quand même. Et lorsque le prêtre leur propose de prendre le goupillon et d'asperger le cercueil d'eau bénite, il le fait sérieusement, presque avec ferveur, avec le souhait sincère que l'âme de cet être solitaire trouve la paix.

Le patron de l'entreprise des pompes funèbres leur a demandé de suivre le cercueil jusqu'au cimetière. Jean-Pierre se surprend à trouver naturel d'aller jusqu'au bout de cet accompagnement. Il ne peut abandonner cet étrange compagnon au beau milieu du rituel qu'il a si bien orchestré de son vivant. Au bord de la fosse, on lui demande de lire un poème de Paul Valéry : « Je suis simplement passé dans la pièce d'à côté ». Le choix de ce texte témoigne de la foi de Bruno. Jean-Pierre lit, la voix un peu cassée. C'est qu'il n'est plus du tout étranger à ce qui se passe. Cet homme que personne n'est venu accompagner jusqu'à sa dernière demeure, ce pourrait être lui. Il imagine son visage, son pauvre visage tourné vers lui. Il prend conscience de ce qui lie tous les humains, qu'ils se connaissent ou pas. L'autre est un autre moi-même. Il est notre semblable. Jamais auparavant il n'avait senti à quel point nous sommes responsables les uns des autres.

« *Homo sum, et nihil humani a me alienum puto* », la phrase de Térence me vient à l'esprit, en écoutant cette histoire. « Je suis homme, et rien de ce qui est humain ne m'est étranger. »

Ce « souci de l'autre » qui est le propre de notre humanité, j'ai voulu l'aborder ici à partir d'une situation qui nous concerne tous : la situation de vulnérabilité. Une chose est certaine, nous sommes tous vulnérables, de la femme sur le point d'accoucher au mourant, en passant par tous les éclopés de la vie. Personne ne peut affirmer qu'il ne passera jamais de l'autre côté de la barrière des bien portants. Personne ne peut prétendre qu'il ne se retrouvera pas un jour sur un lit d'hôpital, ni assis au chevet d'un proche malade ou près de sa fin. Ce jour-là, nous voudrons non seulement des soins efficaces mais des soins humains. Nous aurons soif de ce regard, de ce sourire, de ce geste qui disent l'attention et le respect. De ces petites choses qui donnent le sentiment intime que l'on reste un être humain.

Pourtant, aujourd'hui, on se plaint partout d'une déshumanisation des soins et de la relation médecin-malade. L'hôpital, ce lieu traditionnellement dévolu à l'accueil des plus vulnérables, est sérieusement mis en cause dans sa fonction d'hospitalité depuis qu'il se réfère à des critères comptables au détriment des besoins humains des malades et des soignants.

J'ai fait mon enquête, et j'ai commencé à comprendre la complexité de la situation qui tient à la fois à l'évolution de la médecine, de l'hôpital, et de l'organisation des soins. J'ai donné la parole aux malades, aux médecins, aux soignants qui se heurtent tous aujourd'hui à la même souffrance : le manque d'humanité, la pauvreté relationnelle. Un grand nombre de lettres, de témoignages, de rencontres m'ont permis de constater le processus déshumanisant qui partout lamine les efforts de ceux qui tentent de préserver les valeurs du soin.

Mais j'ai découvert aussi, comme le dit si bien Jean-François Mattei, que là « où est le péril, croît ce qui sauve[3] ». Des médecins et des soignants, fidèles à leurs valeurs humanistes, sont conscients de leurs responsabilités vis-à-vis des plus vulnérables. Conscients de leur devoir, malgré les pressions auxquelles ils sont soumis, malgré l'indifférence de notre société à l'égard des malades, des vieillards et des mourants, ils continuent à « irriguer l'humain ».

J'ai découvert que les malades eux-mêmes, au-delà de leurs exigences et de leurs plaintes, savent comprendre la vulnérabilité de ceux qui les soignent. Ils aspirent à une confiance réciproque, et beaucoup sont prêts à contribuer à l'humanisation de notre système de santé.

Enfin, les lieux où l'on soigne avec humanité se multiplient. Quand je les ai rencontrés, les soignants m'ont dit qu'ils ne savaient pas faire autrement qu'aimer en soignant. Je n'emploie pas ici le mot « aimer » dans son sens mièvre et galvaudé. Je l'emploie à dessein, parce que c'est un mot fort. Ce qui se passe là où, malgré la haute technicité, des hommes et des femmes cherchent à

3. Jean-François Mattei, conférence à l'Espace éthique AP-HP de Paris, hôpital Saint-Louis, 23 juin 2001.

privilégier l'écoute, la parole, le contact, là où viennent échouer les plus déshérités, ceux qui n'ont nulle part où aller et dont personne ne veut, est de l'ordre de l'amour. Il faut le croire ! Il faut croire aussi qu'une médecine à mains nues, faite d'attention extrême, de tous ces petits gestes qui disent le respect, la tendresse, est une médecine qui compte. Sa valeur est sans prix, même si notre monde ne l'a pas compris. Un certain courage est donc nécessaire pour la défendre et la pratiquer, quand partout les médias glorifient les thérapeutiques biomédicales, souvent indifférentes à la personne.

Il sera donc question ici de cette vulnérabilité qui nous est commune, du fait que nous sommes tous des humains mortels, de cette responsabilité qui nous incombe aux uns et aux autres, celle de garder allumée la lampe du « souci de l'autre », aussi vacillante soit-elle.

1

De l'autre côté de la barrière des bien portants

Il arrive que des médecins ou des soignants, à la faveur d'un accident ou d'une maladie, basculent brutalement de l'autre côté de la barrière. Mis à leur tour dans la situation des malades, ils comprennent alors ce qui fait du bien et ce qui n'en fait pas. Le jour où ils reprennent leur activité, ils n'approchent plus leurs patients de la même manière. Leur expérience de l'hospitalisation a changé leur vision du soin.

Élisabeth Garcia, cadre de santé, enseignante, a été hospitalisée en réanimation à la suite d'un grave accident de voiture. Trois jours de sédation dans ce service lui ont plus appris que toutes ses années d'études.

Elle se souvient[1] qu'à son arrivée aux urgences elle n'avait aucune conscience de la gravité de son état. La seule chose qui comptait pour elle était de prévenir sa famille, d'annuler ses rendez-vous du lendemain. Elle sait maintenant que la priorité des soignants (poser des perfusions, faire une injection, opérer) n'est pas forcément celle du patient. Elle ne se serait pas laissé soigner, si l'on n'avait pas d'abord écouté son angoisse et respecté ses directives. Il fallait qu'elle soit rassurée

1. Entretien du 14 mars 2001.

14

sur ce plan pour pouvoir se laisser emmener au bloc opératoire.

Après trois jours de sédation, elle se réveille intubée, ventilée, attachée, dans l'incapacité de parler, complètement désorientée. Elle n'a su que plus tard combien les médecins étaient réservés sur son pronostic, mais elle n'a jamais eu peur de mourir.

La voilà donc dépendante, son corps confié aux mains des autres, ses collègues infirmiers. Elle a mal, très mal. Neuf côtes et le sternum cassés, c'est douloureux, et les morphiniques ne semblent pas vraiment efficaces. Certains soignants sont très attentifs à sa douleur, dans leur façon délicate de la tourner, de la soulever, comme cette infirmière qui l'autorise à s'accrocher à elle, lors du retrait du drain thoracique, ou cette autre qui la rassure, lors de la broncho-aspiration, alors qu'elle a la sensation d'étouffer. Ils lui parlent, la réconfortent. Mais d'autres nient et fuient sa douleur. Ils semblent ne rien connaître de son état, et font exactement les gestes qu'il ne faut pas faire, « comme ces deux aides-soignantes qui, ne sachant pas que j'avais le sternum et deux côtes cassées, m'ont soulevée comme un sac de pommes de terre, sans me parler. J'ai poussé un cri de douleur. Ce n'est pas de la cruauté, c'est de la négligence, une forme d'inconscience. Elles ne l'ont pas fait exprès ».

Des soignants d'un même service, ayant appris les mêmes techniques, suivi la même formation, peuvent se comporter de manière très différente avec le malade. C'est une réalité dont Élisabeth n'avait jamais pris conscience jusque-là. Hospitalisée, elle comprend, de l'intérieur, l'importance de la dimension relationnelle dans le soin infirmier. Elle sent combien ce qu'elle a enseigné jusqu'à maintenant est vrai. La douleur du malade, son angoisse intolérable quand il est ventilé et se trouve dans l'impossibilité de parler, tout cela peut être apaisé ou au contraire activé en fonction de la manière dont les soins sont prodigués.

« Croyez-moi, lorsqu'on est dépendant, incapable de communiquer par la parole, les mains attachées et qu'on a des douleurs dans tout le corps, le plus important, ce ne sont pas les perfusions et les pansements, mais bien plutôt un sourire, un regard, une information rassurante et une main qui ne vous considère pas comme un objet, mais comme une personne. C'est là que la démarche de soin prend tout son sens. J'ai parfois été traitée comme un objet. Croyez-vous que les soignants aient conscience de la façon dont ils soulèvent les malades, dont ils les touchent ou leur parlent ? Je n'ai pas ressenti de méchanceté de leur part, plutôt une sorte d'inconscience, voire de fuite, car notre profession n'est pas facile et je sais, pour l'avoir vécu, que la réanimation est un service particulièrement lourd », écrit-elle à un infirmier de réanimation.

De même, elle a ressenti le besoin d'écrire une lettre aux étudiants, qui a été affichée. « Je suis en train de sortir du tunnel et je réalise combien votre profession est fabuleuse, combien vous pouvez apporter aux malades, combien la façon dont vous prenez soin des gens peut être déterminante pour l'évolution de leur état de santé. »

Aussi se souvient-elle de manière très précise des gestes ou des attitudes qui lui ont fait du bien. Une nuit, alors qu'elle souffre terriblement et qu'elle a des hallucinations, l'équipe de nuit appelle un infirmier anesthésiste.

« Les gens défilaient devant moi, trafiquaient la pompe à morphine, rien n'y faisait. Puis l'infirmier est arrivé, il s'est assis au bord du lit, m'a pris la main. Il m'a demandé comment je m'appelais, qui j'étais, ce qui m'était arrivé, où j'avais mal, et il a écouté ma douleur. J'ai vraiment eu l'impression que pour la première fois elle était prise en compte. Le seul fait d'être écoutée l'a diminuée. Le facteur anxiogène de la douleur est bien réel. Je l'ai touché du doigt ! »

Alors qu'elle est encore intubée et ventilée, une ancienne étudiante qui travaille dans le service vient lui rendre visite. Elle a un geste très doux sur sa joue. « Est-ce que vous êtes consciente de ce que vous apportez aux autres ? lui demande Élisabeth. Vous m'avez fait énormément de bien. »

De sa position de grande malade, elle perçoit aussi de quelle manière elle peut aider les soignants. Cela non plus, elle n'en avait pas pris la mesure. « Il est vrai que j'ai fait moi-même un travail personnel assez conséquent qui m'a aidée à ne pas me positionner en victime. »

Le malade n'est pas une victime. Il sent ce dont il a besoin, il peut aider les soignants à le soigner, il faut l'écouter. Élisabeth ose exprimer ce qui est bon pour elle. Elle ose utiliser les ressources de son entourage et, quand elle sent les soignants surchargés de travail, prier un proche de la masser, de lui poser un gant d'eau fraîche sur le front ou sur la nuque, « tous ces petits gestes si importants lorsqu'on est dans un lit vingt-quatre heures sur vingt-quatre ». Elle leur apprend comment faire. Elle découvre que ces échanges diminuent l'anxiété de ceux qui l'entourent, car ils ont l'impression de participer à son mieux-être. Aujourd'hui, elle se demande pourquoi on n'apprend pas aux soignants à solliciter, voire à éduquer les familles pour des soins simples, à les utiliser comme des partenaires, ainsi que cela se pratique dans les unités de soins palliatifs.

« Le malade sait ce dont il a besoin », c'est sans doute ce qu'elle inscrirait à l'entrée d'un service dont elle aurait la responsabilité. De l'autre côté de la barrière, comme elle dit, elle a mesuré à quel point on infantilise les patients. Ainsi lorsqu'elle demande à quitter le service postopératoire où elle est traitée, pour un service qu'elle connaît et où elle a travaillé, on lui fait des réflexions très désagréables. « Où se croit-elle, dans une épicerie ? » Le malade n'est pas libre de son choix. On le culpabilise, on lui fait honte. « J'ai expliqué que pour des raisons personnelles je voulais changer de service : "Je suis navrée que vous le preniez si mal, mais c'est ma vie, c'est mon corps, j'en fais ce que je veux." Je suis restée très calme. J'ai demandé à la surveillante pourquoi mon départ provoquait une telle histoire. Elle m'a répondu : "Madame, ça ne s'est jamais vu dans ce service." Je me suis rendu compte que les gens n'osent pas dire ce qui est bon pour eux. Ils ont peur. Ils savent qu'ils ne seront pas entendus. Le chef de service était quelqu'un d'omnipotent, un mandarin. Il n'acceptait pas que je quitte le public pour aller dans le privé. Il a fallu signer une décharge, il a fallu que ma famille se charge de prendre tous les contacts avec l'autre service. Je suis partie contre avis médical. Ce sont mes proches qui ont dû appeler une ambulance. Je ne l'ai pas regretté. J'ai fait ce qui était bon pour moi, et j'ai mesuré combien il était difficile pour un malade d'exprimer un souhait. La surveillante et l'équipe se demandaient : "Comment ose-t-elle affronter le grand manitou ?" »

« J'en ai appris des choses ! continue Élisabeth. L'hôpital est une entreprise, ça doit tourner, mais, côté humain, l'hôpital est malade. »

« Je dis aux étudiants : c'est vous qui allez montrer le chemin aux médecins. N'attendez pas ! Ils n'ont pas été formés ! Prenez-les symboliquement par la main et montrez-leur ! Certains ne voudront jamais changer, mais d'autres sont ouverts. Ils ont peur, ils ont très peur les médecins ! Ils se réfugient derrière leurs connaissances théoriques et techniques, parce qu'ils ont peur de l'humain. J'ai appris qu'il fallait les aider, de manière discrète, sans les dévaloriser. Tous les soignants ne sont pas conscients de ça. En unité de soins palliatifs, j'ai rencontré des médecins très humains. Là, il n'y a plus de hiérarchie. L'aide-soignante a autant d'importance que le cadre. Le travail de chacun est reconnu. Je pense que l'état d'esprit des soins palliatifs peut se vivre ailleurs. Quand le médecin et le cadre ont réussi à prendre en compte, au sein de l'équipe, le regard que l'on pose sur l'autre, la manière dont on considère sa fonction et sa place, les soignants acceptent des conditions de travail difficiles parce qu'ils se sentent reconnus. Par contre, les soignants doivent, par leur attitude, faire ce qui est nécessaire pour être reconnus. Certains ne s'investissent pas suffisamment dans leur métier.

Élisabeth s'interroge sur la meilleure manière d'aider les soignants. Par des groupes de parole ? des groupes de soutien ?

« Quand ils sont mis en place de manière arbitraire, sans correspondre à un réel désir de l'équipe soignante, ils ne fonctionnent pas, quelle que soit la compétence de l'animateur. Ce désir d'un lieu et d'un espace pour échanger naît souvent au terme d'une formation, parce que celle-ci fait prendre conscience de l'importance de parler et de réfléchir ensemble. On y sollicite une démarche participative : chacun doit sentir que, à la place qu'il occupe, il a des choses à dire. »

Elle constate que beaucoup de médecins et de cadres nient la souffrance des soignants. Il y a des gens très rigides et peu enclins à se remettre en question. Aussi met-elle les étudiants en garde. Il ne faut pas qu'ils espèrent des conditions de travail idéales. « Si vous attendez que l'institution mette tout à votre disposition sur un plateau, des groupes de parole, un psychologue qui vous convient, vous pouvez attendre longtemps ! Par contre, vous pouvez vous prendre par la main, réfléchir, chercher vous-mêmes des éléments pour affronter la souffrance des malades et la vôtre. Il existe des émissions, des livres, des formations sur l'accompagnement de fin de vie. C'est une démarche individuelle. Si vous êtes seuls dans une équipe à faire cette démarche, eh bien tant pis ! N'oubliez pas que c'est votre comportement qui interpellera les autres, sans que vous ayez besoin d'imposer quoi que ce soit. On vous demandera : Comment se fait-il que tel malade te parle, te sourit ? Qu'est-ce que tu lui as fait ? »

« J'ai constaté dans mes enquêtes, poursuit Élisabeth, que lorsque les soignants ont une vie privée riche, qu'ils savent ainsi se préserver et se ressourcer, soit dans leur famille, soit dans l'amour de l'art ou de la nature par exemple, ils parviennent à trouver un équilibre. »

« Contrairement à ce que l'on a longtemps dit, une infirmière, quand elle met son uniforme, elle ne change pas ! J'ai longtemps cru qu'on laissait ses problèmes au vestiaire. Je crois que ce n'est pas si simple que ça. Quand on soigne quelqu'un, on arrive avec son histoire, son vécu, son émotion du moment, sa motivation et sa compétence d'infirmier. La rencontre avec le patient renvoie chacun à ce qu'il est. Il y a ceux qui sont à leur place dans ce métier, mais il y en a aussi beaucoup qui souffrent d'un mal-être personnel. C'est une profession qui bouscule ! Il est clair que la confrontation avec un être qui souffre confronte à soi-même. Quand ils choisissent d'être infirmiers, les soignants ne perçoivent pas cette dimension. Ils savent qu'ils vont soigner des gens, mais ils ne savent pas que cette souffrance va les renvoyer à leur propre souffrance. Ils ne s'y attendent pas. Ainsi, soit ils auront envie de profiter de cette prise de conscience pour évoluer, soit elle leur fera trop mal, et ils se fermeront, ils se couperont du monde qui les environne. Soigner n'est pas une profession anodine. »

Pierre est chef de service de médecine dans un grand hôpital de province. Il y a dix ans, il a été gravement malade et hospitalisé plusieurs mois. Il est lui aussi passé de l'autre côté de la barrière, du côté des malades.

La profession de médecin ne protège pas de l'angoisse, bien au contraire. Avec toutes ses connaissances médicales, son expérience de l'hôpital, Pierre s'est senti plus démuni encore que ses frères d'hospitalisation. Il en a « pris plein la gueule », comme il me le dit. Il n'oubliera jamais.

Aujourd'hui, avec le recul, il compare ses attentes de malade, en espoir d'humanité, à la pauvreté relationnelle des personnes qui se sont succédé à son chevet. Triste décalage ! La suffisance de ses collègues, leur indifférence à l'égard des patients, dont seule la pathologie les intéresse, lui sont du même coup devenues insupportables. Il a souffert de l'absence de dialogue. Il a vu dans leurs yeux le malaise, la gêne, il les a vus répondre par une pirouette et fuir la chambre. Il sait, parce qu'il l'a vécu, combien les malades se sentent seuls dans ces moments-là. Il aurait voulu le dire à ceux qui le soignaient.

Il comprend, ô combien ! les sévères critiques adressées aux médecins, mais il connaît mieux que personne l'écartèlement dans lequel ceux-ci exercent leur difficile métier. Car tous leurs efforts sont tendus vers l'établissement d'un diagnostic. Plus vite on sait de quoi souffre un malade, plus vite on pourra traiter sa maladie. Il faut donc aller vite et ne pas se tromper. Mais il faut parfois du temps, et ce temps est toujours trop long pour le patient qui vit l'attente dans l'angoisse. Les investigations, explorations qui sont parfois nécessaires, lui imposent des journées pénibles, douloureuses, éprouvantes. Il questionne, sa famille intervient. Sa demande pressante d'être rassuré met les médecins en porte à faux. Que peuvent-ils dire et faire, tant qu'ils ne savent pas ? Alors ils se protègent, esquivent le contact, manquent à leur élémentaire devoir de soin, d'attention, de présence. Certes, l'effort intellectuel que nécessite la compréhension de la maladie et l'ouverture affective que réclame le malade sont deux attitudes sans doute difficilement conciliables. Pourtant, maintenant, Pierre essaie de les concilier. Il a trop souffert de l'absence d'humanité. Il prend les cinq minutes qu'il faut pour s'asseoir au chevet de son patient, pour lui expliquer pourquoi il lui impose ces longues heures d'attente d'un service à l'autre, pourquoi il demande tant d'explorations. Il ne peut pas encore le rassurer, mais au moins il lui parle.

Quand le malade exprime son angoisse, il l'écoute. Il sait désormais que le seul fait de pouvoir partager un sentiment avec quelqu'un qui peut rester là et entendre est déjà un soulagement. Il ne fournit pas de mauvaises raisons pour rassurer puisqu'il ne sait encore rien, mais il promet de ne pas abandonner. C'est déjà beaucoup !

Pierre a aussi souffert du manque de respect de son intimité. Il a subi ces visites de mandarins escortés de leurs internes, cette exposition indécente du malade devant un groupe d'étudiants qui observent, le sentiment humiliant d'être seulement un objet de diagnostic. Il sait que c'est le prix à payer pour que la médecine avance, pour que les médecins se forment. Mais que n'ont-ils un sourire, un mot gentil, pour atténuer ce sentiment insupportable d'être une chose qu'on examine !

Comment faire pour que médecins et malades se rencontrent ? Pour que la dimension humaine ne soit pas totalement évacuée des soins ?

Trop de médecins considèrent encore aujourd'hui qu'ils n'ont pas fait des études de médecine pour écouter les malades, ni pour s'asseoir à côté d'eux et leur tenir la main. Ils n'osent pas dire que c'est bon pour les infirmières, parce qu'ils savent qu'elles n'ont pas non plus ce temps-là. Alors c'est bon pour les « psy » (qui sont d'ailleurs inexistants dans les hôpitaux) ou pour les « visiteurs des hôpitaux » !

Pierre pense que la plupart des médecins ne savent pas écouter ni dialoguer. Personne ne le leur a appris. Ils ne se sentent pas prêts pour affronter l'attente des malades, parce qu'ils ne se sentent pas suffisamment armés pour faire face à leur propre angoisse ou à leurs propres émotions face au patient.

2

Donnez-nous une médecine humaine !

Une médecine humaine, nous venons de l'entendre de la bouche même de deux soignants, est une médecine qui se préoccupe du malade avant de se préoccuper de sa maladie. « Le temps de la parcellisation du corps est terminé. Nous savons aujourd'hui que soigner signifie avant tout comprendre l'homme non seulement dans son unité, mais aussi dans son unicité. »

Comme on aimerait que cette parole de l'ancien ministre de la Santé[1] soit entendue et méditée par tous les médecins et tous les soignants !

Quelques témoignages

Dans une maternité de Clermont-Ferrand, où je suis venue enquêter, j'entre dans la chambre d'une jeune accouchée. Elle est en pleurs. Sa petite fille, qu'elle a mise au monde au début de la nuit, lui a été retirée pour être confiée à la salle de puériculture. L'intention était

1. Bernard Kouchner, préface au *Livre blanc des premiers États généraux des malades du cancer*, La Ligue, Paris, 1998.

bonne, il s'agissait de permettre à la mère de dormir et de se reposer.

Le matin, après son petit déjeuner, la jeune femme s'est rendue dans le box des puéricultrices pour voir son bébé. Sur le pas de la porte, un peu intimidée, en robe de chambre, elle a cherché du regard sa fille parmi une dizaine de berceaux.

« Qu'est-ce que vous foutez là ? Je ne vous ai pas demandé de venir ! lui lance brutalement une petite femme sèche occupée à changer un nourrisson. Retournez dans votre chambre, attendez que je vous appelle ! » Le ton est péremptoire. Blessée, humiliée, la jeune femme retourne dans sa chambre.

Maintenant, elle est très en colère. Elle menace de prendre son bébé sous le bras et de quitter cette « maternité pourrie ». Elle me dit qu'elle a honte de son attitude. Elle ne se laisse pas faire d'habitude, elle sait ce qu'elle veut, elle est une maîtresse femme. Ne gère-t-elle pas un restaurant ? Que s'est-il passé pour qu'elle se soumette ainsi à l'autorité d'une inconnue, qui la traite comme une petite fille, pour qu'elle rejoigne sa chambre, presque honteuse ? N'était-elle pas dans son droit, en venant voir sa fille ? Et même si les puéricultrices ont besoin de travailler dans le calme, n'aurait-on pas pu lui parler avec délicatesse ?

Je reconnais, dans le récit de cette femme, ce que j'ai rencontré plus d'une fois, cette façon lamentable de profiter de la vulnérabilité d'un autre – et une jeune accouchée à fleur de sensibilité n'est-elle pas vulnérable ? – pour exercer son pouvoir.

Une femme hospitalisée en urgence pour un problème de colique hépatique grave, le foie bloqué, est transférée dans un autre service. Elle y arrive au petit matin, en pyjama, sa perfusion dans le bras, peu vaillante. On lui dit qu'elle doit remplir ses papiers d'admission. Elle descend à l'accueil et elle prend la queue, toujours en pyjama, avec tous ces gens en tenue de ville autour d'elle. Le contexte la fragilise déjà. On lui donne un papier à signer : « Je reconnais avoir reçu toutes les informations de la part du docteur… » Elle demande à la secrétaire : « Comment s'appelle le docteur ? – Ah vous ne l'avez pas vu ? – Non ! j'arrive, je ne l'ai pas encore vu. Il faut que je reconnaisse, là, que je l'ai vu et que je suis d'accord avec ce qu'il m'a dit ? » La secrétaire a l'air ennuyée. La femme déclare alors qu'elle ne signera pas et qu'elle s'en expliquera avec lui.

Elle rejoint sa chambre, se déshabille, puis est conduite au bloc. On l'allonge sur la table d'opération. Le chirurgien est là avec l'anesthésiste. « C'est vous qui n'avez pas voulu signer ? lui demande-t-il. – Oui. Qu'est-ce que c'est que cette information à caractère défensif ? Je ne vous connais pas ! – On a dû vous dire que si on trouve quelque chose, on vous garde deux jours. – Attendez ! Vous vous moquez de moi ! Personne ne m'a rien dit. Que vous assuriez le service après vente, je trouve ça plutôt bien, mais on aurait pu me prévenir ! »

L'anesthésiste intervient : « Vous avez l'air bien énervée ! Vous êtes angoissée ? – Bien sûr, je suis angoissée ! Et j'ai mal ! » L'anesthésiste lance alors au chirurgien : « On attend ou on l'intube tout de suite ? »

Cette femme souligne l'état d'infériorité dans lequel elle se trouvait. « J'étais nue sous ma blouse, ce n'était pas une situation facile pour prendre sa place, pour revendiquer quoi que ce soit. La seule réponse qu'ils ont eue, c'est de me "médiquer", de m'endormir. »

Dans un livre remarquable sur la vie en maison de retraite, une psychologue[2] raconte : « Avec la compli-

2. Claudine Badey-Rodriguez, *La Vie en maison de retraite*, Albin Michel, Paris, 2003.

cité de la société et des médias, je m'étais construit l'image d'une vieillesse sans douleur ni invalidité ni déchéance. [...] Quel ne fut pas le choc que je ressentis la première fois que je pénétrai dans la maison de retraite [...]. Plus je progressais dans ma visite, plus la vérité nue et crue du grand âge s'imposait à ma vue et à ma conscience [...] et plus l'angoisse s'emparait de moi. Fauteuils roulants abritant des corps invalides, recroquevillés sur eux-mêmes, vieillards au visage et aux membres déformés, bouches édentées, hurlements perçant régulièrement le silence pesant, déments déambulant dans les couloirs, perdus dans leur monologue en boucle sans fin [...] Personnes âgées vêtues toute la journée d'une robe de chambre, comme déjà englouties dans une nuit éternelle.

« Malgré l'environnement agréable, les locaux propres, il règne là une atmosphère d'ennui, de silence, de solitude. "C'était l'heure du repas du soir [...]. Peu de personnes parlaient : certaines avaient un grand bavoir devant elles, et une aide-soignante les faisait manger, un peu comme des bébés. D'autres préparaient un petit tas de morceaux de pain en prévision de la soupe. L'une d'elles était en train d'emballer le morceau de jambon qui lui restait dans un mouchoir en papier pour le glisser dans son sac à main. C'était une image difficilement supportable : le repas, ce moment encore si social dans notre pays, et qui donne l'occasion de discussions animées avec les personnes avec qui on le partage, semblait avoir ici perdu tout sens [...] Où était passée la vie ?" »

Ce matin, je me retrouve, vêtue d'une blouse blanche, dans le service des urgences d'un grand hôpital parisien. Je suis venue observer, tenter de comprendre ce qui se vit dans cet ultime lieu de refuge. C'est là qu'atterrissent les malades dont personne ne veut, les malades porteurs de plusieurs pathologies, les malades chroniques, les mourants, les vieillards qui n'ont plus leur place dans les services spécialisés. Beaucoup ne savent plus où aller pour être soignés. Ils arrivent alors aux urgences, seul service à rester fidèle au devoir de non-abandon.

Les internes et les infirmières vont et viennent dans un ballet incessant, pressés, de la salle de coordination à la salle d'attente, du couloir à la salle de déchoquage, des box de consultation au hall d'accueil. Nous sommes en fin de matinée, les couloirs sont déjà pleins de brancards sur lesquels attendent des éclopés de tout âge. Ici les soignants sont sur le pont. Ils refusent de voir les malades. Ils gardent les yeux baissés pour rester concentrés, ne pas être interpellés. Lire sur leurs visages l'angoisse de tous ces gens serait sans doute invivable. Seul le médecin qui s'approche enfin d'un brancard s'autorise à regarder la personne qui y gît, puisqu'il va l'interroger et l'examiner. Mais tant qu'ils ne sont pas examinés, les futurs patients ne reçoivent aucun signe d'accueil. Je comprends l'anxiété de tous ces êtres qui ne savent pas ce qui les attend, et quêtent en vain un réconfort. Moi, qui viens de l'extérieur et qui n'ai pas l'habitude de ce lieu, je les regarde, et ils s'accrochent à mon regard. Je leur fais un sourire, que certains me rendent. Un peu d'humanité qui passe.

Deux pompiers arrivent, ils poussent un brancard sur lequel gît une vieille femme à moitié nue, inconsciente. Ils entrent directement dans la salle de déchoquage où trois personnes reliées à toutes sortes de tuyaux luttent apparemment pour la vie. Un des pompiers tend à l'interne sa feuille de route. La femme s'appelle Madeleine L. Elle vient d'une maison de retraite de la MAPI[3]. Elle a quatre-vingt-douze ans, pas de famille. La dernière

---

3. Maison de retraite privée.

fois qu'elle a été vue par un médecin remonte à un mois. Son cœur est sans doute en train de lâcher. On lui a injecté un tonique cardiaque pendant le transport.

L'interne se tourne vers moi. « Vous voyez ! On n'a plus le droit de mourir tranquillement chez soi ou dans sa chambre ! On se débarrasse des mourants sur les services d'urgences. Ce n'est pourtant pas notre fonction. »

Il hésite un moment, il pourrait tenter de la ranimer. Il crie fort son nom. La vieille femme réagit par un grognement, mais n'ouvre pas les yeux. Finalement, il décide de la transférer dans un box calme, et de ne rien entreprendre. Je comprends qu'il a décidé de la laisser mourir.

J'observe cette femme qui est dans un état physique lamentable, des escarres, des bleus un peu partout, des ongles de pied que l'on n'a pas coupés depuis bien longtemps, quelques rares cheveux blancs sales, gras, collés, en désordre. Son état fait honte. Comment peut-on laisser un être humain se dégrader ainsi ? Il est manifeste qu'elle n'a pas reçu de soins depuis des semaines, peut-être des mois… Est-ce humain ? Est-ce humain de venir mourir là, dans la cohue d'un service d'urgences ?

Une infirmière pousse maintenant le brancard vers le box tranquille, un peu retiré du reste du service. Je la suis. Je me dis que je pourrais sans doute être utile. Comme elle est pressée, cela l'arrange que je reste. Me voilà seule avec cette vieille femme, dont on n'a même pas pensé à voiler la nudité. Sans doute pense-t-on que c'est inutile, puisqu'elle est inconsciente. Son cœur s'essouffle. Je sens qu'elle est en train de partir. Alors je lui parle, je l'appelle par son prénom, pour qu'au moins elle ne soit pas une mourante anonyme. Je lui tiens la main et je lui dis que je ne la connais pas mais que je suis là, une humaine parmi les humains, pour qu'elle ne soit pas seule.

On ne peut passer sous silence le témoignage de Jean de Kervasdoué[4], hospitalisé récemment à la suite d'un accident. À travers un récit sans complaisance, non dénué d'humour, ce brillant économiste de la santé, qui a toujours vu l'hôpital d'en haut, nous fait découvrir les multiples dysfonctionnements du monde hospitalier. Ceux dont les malades souffrent tous les jours : les attentes interminables, le froid, la douleur que l'on tarde à soulager, la sienne et celle que l'on croise dans le regard des autres, l'angoisse de ne pas savoir ce que l'on a, ni ce qu'on va vous faire. Il témoigne aussi des « longs moments d'abandon » qui succèdent « à l'intense et réelle attention de quelques instants », des rapports de force entre celui « qui est couché » et celui « qui est debout », et que certains prennent plaisir à rappeler.

La négligence est générale, écrit-il. Elle va de l'absence de matériel adéquat – l'épisode de son transfert du brancard à la table de l'appareil de radiologie, le service ne possédant pas de « machine à transférer » les malades incapables de se mouvoir, est tout simplement incroyable –, aux radios que l'on égare dans le dossier. Mais elle n'est pas seulement matérielle, elle est aussi humaine. Ainsi, une kiné peut quitter brusquement votre chambre en promettant de revenir et vous laisser attendre, à moitié nu sur votre lit, pendant deux heures ! Quant à l'organisation des soins, elle ne se fait pas en fonction des besoins du malade mais en fonction « des textes » (les circulaires administratives) et de « l'urgence ressentie par l'équipe ».

Enfin, soulignant le manque de coordination entre les services, Jean de Kervasdoué conclut : « L'hôpital

4. Jean de Kervasdoué, directeur des hôpitaux au ministère de la Santé de 1981 à 1986, est actuellement professeur titulaire de la chaire d'économie et de gestion des services de santé au Conservatoire national des arts et métiers (CNAM). Il a publié un témoignage dans *Le Monde* du 18 novembre 2003 : « L'hôpital vu d'en bas ».

est plus une rue commerçante qu'une organisation moderne. Chaque boutique est indépendante, et la communication entre elles c'est : "Si je veux, quand je veux !" »

« Le discours compassionnel à l'égard du malade de ceux qui ne pratiquent pas les soins, de ceux qui ne sont pas en contact direct avec lui – fonctionnaires, politiques, journalistes – m'a toujours écœuré. Je hais ces circulaires et ces discours dégoulinants de bonnes intentions qui proclament que l'on doit « mettre le malade au centre du système de santé », alors que, dans certains services, à certaines heures, personne ne décroche le téléphone pour répondre aux familles, que les locaux sont crasseux, que le contrôle qualité n'existe pas et que les malades errent dans des services d'urgences où ils ne devraient pas se trouver. »

La parole aux malades

Tous ces dysfonctionnements, tous ces manquements au « souci de l'autre », les malades osent aujourd'hui les dénoncer. C'est un fait relativement nouveau.

En 1998, Bernard Kouchner a eu la belle initiative d'organiser des États généraux de la santé et de donner la parole aux malades. Claire Compagnon, qui était présente à ses côtés lors des réunions avec les malades du cancer, m'a confié[5] le trouble qu'elle avait perçu chez le ministre, au fil des témoignages.

Avec émotion, avec des mots parfois très durs, ces gens fragilisés ont raconté ce qu'il y avait d'insupportable dans leur maladie et dit le manque d'humanité de l'ensemble du corps social à leur égard, adressant

5. Entretien du 1er mars 2002.

des appels pathétiques à la bienveillance, au respect, à l'attention.

La lecture du *Livre blanc des premiers États généraux des malades du cancer*[6] devrait faire partie de la formation de tous les futurs médecins. Ils apprendraient beaucoup sur les vrais besoins des malades, sur leur lucidité et leur capacité à porter leur maladie, sur leurs ressources. Car la vraie souffrance n'est pas tant dans la maladie elle-même que dans tout ce qui l'entoure, l'attitude fuyante ou indifférente des autres, le silence, le manque d'information, d'écoute, de dialogue.

Un appel au tact

C'est presque toujours à propos de l'annonce d'une maladie grave que les malades se plaignent de l'absence de tact des médecins. Il y a des mots qu'il est très difficile d'entendre, et qui sont presque impossibles à prononcer : il en va ainsi du mot « cancer » qui évoque la mort au terme de longues souffrances. Beaucoup de praticiens redoutent évidemment de l'annoncer. Ils connaissent l'impact de ce terme, ils savent combien il est violent de l'entendre. Ainsi, certains sont-ils incapables de dire les choses « en face » et laissent un proche, souvent le conjoint, assumer cette tâche éprouvante.

Les médecins ont parfois quelques secondes seulement pour juger si une personne est assez solide et entourée pour connaître la vérité. Outre cette difficulté d'appréciation, la question de savoir si l'on peut ou si l'on doit révéler la vérité n'est pas simple. Les malades eux-mêmes reconnaissent leur ambivalence : ils veulent savoir et en même temps ils ne veulent pas. Il y en a même qui se réfugient dans un déni total de la maladie.

6. *Op. cit.*

Ou bien c'est leur famille qui a décidé de ne rien dire, ce qui ne facilite pas la communication avec eux ni le soulagement de l'angoisse. Pourtant, à les entendre, presque tous les malades veulent connaître la vérité sur leur état, mais à leur rythme, à condition qu'on leur annonce avec précaution et considération.

« Ne pas dire la vérité, c'est nous enlever notre dignité, ne pas nous donner les moyens de nous battre », dit un malade. « J'ai demandé la vérité. Si vous me mentez une seule fois, je n'aurai plus confiance », dit une autre. La vérité instaure la confiance, donne au patient la possibilité de se défendre, le responsabilise. Il faut donc trouver le temps et les mots pour la dire. L'information ne peut être délivrée n'importe comment. Certains patients dénoncent la brutalité avec laquelle on leur a appris le diagnostic, au téléphone, au détour d'un couloir, sur les marches d'un escalier, en cinq minutes. « Le médecin doit annoncer le cancer avec humanité, comme il l'annoncerait à sa femme », affirme un patient.

Un de mes amis évoque la brutalité avec laquelle on a parlé devant lui d'un symptôme inquiétant. « Un jour, on s'aperçoit que j'ai une tache noire au niveau de la cheville. Le médecin déclare : "Début de mélanome, il faut absolument l'enlever, au bloc demain !" Moi, je me dis : c'est un cancer de la peau, et je m'angoisse. On ne lance pas les choses comme ça, à la cantonade, devant un malade. »

Les mots ont un poids. On aimerait que tout médecin, tout soignant ait conscience de leur pouvoir sur ceux qu'ils soignent. On peut semer l'angoisse simplement par la façon dont on dit les choses, alors qu'il n'y a pas forcément lieu d'inquiéter le malade. Une de mes amies, enceinte, m'a raconté comment un médecin l'avait alarmée en lui annonçant brutalement au téléphone, et sans aucun dialogue préalable, qu'elle entrait dans la fourchette à risque des femmes de plus de trente-cinq ans. Il lui imposait de prendre rendez-vous avec lui pour une amniocentèse. Très inquiète, elle a décidé de demander un autre avis auprès de la maternité dans laquelle elle avait l'intention d'accoucher. Le gynécologue, après avoir comparé les différents examens prénataux, a réduit notablement la frange de risque. Il n'y avait pas lieu, selon lui, de pratiquer d'amniocentèse, examen qui n'est pas anodin. Mon amie a apprécié le dialogue que ce nouveau médecin établissait avec elle, mais l'angoisse était en elle, depuis que le premier l'y avait plantée. Elle a finalement décidé de faire l'amniocentèse, seul moyen de mettre fin à son angoisse incoercible.

Le dialogue, le contact direct sont essentiels. Les malades disent même que le premier contact est fondamental. L'accompagnement commence dans le cabinet du médecin. Les malades sont clairs, il faut que le courant passe entre eux. C'est dans les premiers instants, les premiers regards, les premières paroles, le sourire de l'accueil que se décide la confiance.

Certains médecins ont trouvé des solutions : une première consultation plus longue, de l'écoute, de la chaleur, et surtout des propositions concrètes de prise en charge, une sorte de contrat de non-abandon qui donne l'assurance que le combat contre la maladie se mènera ensemble. « Un diagnostic de cancer est toujours suivi d'un choc. En tant que médecin, nous devons faire preuve d'humanité et de simplicité. Éviter de nous retrancher derrière des mots techniques. Ne pas avoir peur de nos émotions[7]. »

7. *Livre blanc des premiers États généraux des malades du cancer*, *op. cit.*, p. 22.

Une jeune femme, atteinte d'un cancer de l'ovaire, rapporte qu'elle a été sensible au fait que le médecin est venu s'asseoir à côté d'elle, et non pas derrière son bureau. Cela lui a permis de lui parler à cœur ouvert. Il ne faut souvent pas grand-chose pour établir ce contact : un sourire, un mot, une façon de s'asseoir et d'inviter le malade à poser ses questions. C'est cette humanité-là que les malades réclament.

Pour que le malade participe au traitement, il faut aussi qu'il puisse parler au médecin comme à une personne, afin que s'établisse un vrai partenariat. Le malade a besoin d'être informé. Or, trop souvent les protocoles sont si complexes que l'information leur est délivrée au compte-gouttes. Les malades se plaignent de ne pas être prévenus des séquelles des traitements lourds, chimiothérapie, radiothérapie, chirurgie. Ils entrent à l'hôpital à peu près en forme, et ressortent quelques semaines plus tard mutilés, épuisés, déprimés sans qu'on leur ait annoncé ce qui les attendait.

Certains affirment qu'ils n'auraient pas accepté de tels traitements s'ils avaient su quelles en étaient les conséquences. D'autres auraient eu besoin d'un accompagnement psychologique pour se préparer à accepter une mutilation, souvent décidée à leur insu. « Cette décision prise à votre encontre, sans votre accord, cette agression verbale et physique, sans préparation ! Je n'étais plus considérée comme une personne humaine apte à recevoir des explications sur sa maladie[8] », lance une patiente.

On aimerait trouver ce tact dans les mots des médecins qui annoncent un pronostic mortel ! Thierry Parmentier, un des médecins qui travaillent à l'unité des

8. *Ibid.*, p. 71.

soins palliatifs des Diaconesses à Paris[9], se plaint de la violence avec laquelle certains internes des services d'oncologie annoncent leur pronostic aux malades qu'ils envoient en soins palliatifs. Il vient de recevoir une jeune fille de vingt et un ans soignée à l'institut Gustave-Roussy, totalement défaite. L'interne lui aurait dit sans aucun ménagement : « On ne peut plus rien pour vous. » Et il aurait même ajouté qu'elle « coûtait cher à l'hôpital ». Comment accepter une telle violence ?

Un appel au dialogue

L'histoire d'un de mes amis, diplomate, traité il y a quelques années pour un lymphome dont il a guéri depuis, est révélatrice de cette absence de dialogue qui déshumanise la relation entre le médecin et son malade.

Olivier a commencé par sous-estimer sa maladie. Il ne savait pas très bien ce qu'était un lymphome. Il ne voulait pas le savoir, simplement. Il avait seulement enregistré le fait qu'il allait subir un traitement très pénible.

« Je fermais les yeux, comme beaucoup de gens le font. À mon avis, ce n'est pas un très bon comportement, parce que j'ai toujours donné l'impression aux médecins que je prenais cette maladie par-dessus la jambe, que cela ne m'affectait pas. J'avais conscience d'être un très mauvais acteur. J'avais tout faux. Mon attitude était typique d'une bonne éducation bourgeoise. On ne se met pas en avant, on dédramatise tout, on n'en fait pas un plat : une maladie, c'est ridicule !

« C'était un comportement délibéré pour me protéger et protéger les médecins. Ils ont réagi comme ils pensaient que je souhaitais qu'ils réagissent, c'est-

9. Entretien du 23 janvier 2002.

à-dire en étant, comme moi, relativement indifférents, très expéditifs quand ils venaient me voir, pas du tout chaleureux.

« Quand j'ai essayé d'établir des rapports normaux avec eux, c'était trop tard. Tout le monde était piégé. J'avais établi les règles du jeu, et ils ne voulaient plus en changer.

« Je n'ai jamais posé au médecin la question qui me faisait peur : "Quelles sont les chances de survie dans cette maladie bizarre ?"

« Le directeur de l'hôpital, qui est un ami d'enfance, entrait dans ma chambre en me demandant : "Tout va bien ?" Quand ça n'allait pas bien du tout, je répondais : "Oui, oui, ça va !", et on avait une conversation mondaine complètement ridicule, complètement hors de propos. C'était grotesque quand on y pense ! C'était du jeu. Et lui, ça le rassurait. Il se disait : "Il est bien soigné chez moi, il a l'air de ne pas aller si mal que ça."

« Quant à mon médecin, elle venait avec deux ou trois personnes, elle regardait le dossier, demandait : "Ça va ?", me tâtait vaguement, et quand je commençais à dire : "Mais, docteur, qu'est-ce que j'ai exactement ? je ne comprends pas très bien, je souffre", j'avais l'impression qu'elle était gênée.

« Quand j'allais voir le patron, une fois par semaine, on me descendait dans la salle de consultation. Je ne pouvais jamais voir le médecin seul, il y avait une secrétaire en train de taper sur le clavier de son ordinateur, qui me regardait avec un air goguenard, les lunettes posées au bout du nez. J'avais l'impression d'être un coupable devant un juge. C'était un sentiment épouvantable. Et quand j'essayais de poser des questions, les réponses qu'on me donnait n'étaient pas précises, ou tellement techniques que je n'y comprenais rien. »

Un appel à plus de disponibilité

Les médecins disent qu'ils n'ont pas le temps. J'en ai pourtant vu, tout aussi débordés que les autres, s'asseoir quelques minutes au chevet de leurs patients au lieu de rester debout, prêts à partir. Ce simple geste, prendre une chaise ou s'asseoir au bord du lit, est magique. Il donne le sentiment à l'autre qu'on est disponible pour lui.

Olivier raconte qu'il a trouvé un réconfort formidable, qu'il n'oubliera jamais, auprès d'une jeune stagiaire, une interne roumaine.

« Je lui ai demandé : "Qu'est-ce que c'est cette maladie que j'ai ? C'est une maladie du sang, mais je ne comprends rien à ce qu'on me fait." Elle s'est assise sur mon lit et m'a expliqué les traitements qu'on pratiquait sur moi, ce qui pouvait marcher, ce qui pouvait ne pas marcher. Ses mots m'ont incroyablement rassuré. Le seul réconfort que j'ai trouvé, c'est auprès d'une étrangère, intelligente, sympathique, toujours souriante, prête à m'expliquer tout ce que j'avais besoin de savoir, qui me parlait de son pays, qui avait une attitude humaine. Elle me donnait l'impression qu'elle avait du temps pour moi. Elle nous consacrait du temps, à moi et aux autres malades. Je n'ai jamais rencontré cette attitude chez ses collègues médecins. Il faut dire aussi qu'avec elle je n'ai pas joué la comédie. J'étais fatigué de l'avoir jouée avec les autres. Je me suis dit : "Ça me barbe de jouer au type distancié." J'étais préoccupé, et j'avais besoin qu'elle me dise : "Oui c'est grave, voilà comment ça va se passer." C'est comme cela qu'elle m'a aidé.

« Il faut que les médecins ouvrent la porte. Les autres malades avec qui je parlais avaient le même sentiment. Je me souviens d'une femme qui me disait qu'elle se tenait au courant de sa maladie en interrogeant des gens, d'autres médecins, d'autres malades à l'extérieur. Comme elle, j'essayais de glaner des connaissances à l'extérieur de l'hôpital. Beaucoup de patients font ça, le milieu hospitalier est tellement carcéral !

« Ce n'est quand même pas difficile de montrer un peu de disponibilité, de ne pas entrer à toute allure dans une chambre pour en ressortir aussi vite. On va me dire que les médecins voient tellement de patients ! Mais quand on est malade, couché dans un lit, on se fout des autres patients ! On est là dans son enfermement, on veut être singularisé ! »

Je demande alors à Olivier s'il serait capable de solliciter davantage son médecin s'il se trouvait à nouveau dans un lit d'hôpital. Pourrait-il lui demander : « Vous serait-il possible de vous asseoir cinq minutes, j'ai besoin de vous parler » ?

Olivier me fait remarquer, à juste titre, que ce n'est pas facile pour quelqu'un de diminué, d'apeuré, quasiment prisonnier de son lit, de mettre en confiance un médecin. « C'est tout de même un paradoxe ! Pourtant, il faut que les malades osent solliciter l'attention du médecin, et pas d'une manière larmoyante qui l'exaspère, pas non plus de la manière exécrable qui était la mienne, avec une fausse distanciation. Il faut trouver un juste milieu. Le problème, c'est que le juste milieu, on le trouve quand on est guéri... pas quand on est malade ! Si je fais une rechute, je sais que je me permettrai d'emblée de demander au médecin d'avoir une attitude de dialogue avec moi. »

Se sentir partenaire de sa guérison

Olivier aurait voulu qu'un médecin lui fasse confiance, le traite comme une personne capable de participer à sa guérison.

« J'aurais aimé qu'un médecin me dise : "Attention, vous pouvez vous-même contribuer à votre guérison."

Aucun médecin ne l'a fait. Pourtant je les connaissais depuis longtemps. Cela aurait dû les inciter à me parler franchement : "Écoute, mon ami, tu as un sale truc, mais il faut que tu voies les choses de manière positive, ça va nous aider à te soigner."

« Au lieu de cela, j'avais le sentiment d'une dépendance absolue. Quand le médecin entrait, j'apercevais son regard sombre. C'était effrayant. Je me disais : "Si elle me regarde comme ça, c'est que je suis foutu !"

« Je voudrais qu'un médecin puisse dire à son malade qu'ils vont gérer ensemble la maladie. Je ne prétends pas que cette cogestion soit une chose facile, mais vu l'absence de dialogue actuelle, on ne peut qu'aller vers le mieux. Il faut que cette relation démarre dès le premier contact, au moment du diagnostic. "Vous avez ça, voilà ce qu'on peut faire sur le plan médical, mais j'ai aussi besoin de votre coopération." Cette coopération est valorisante pour un malade. Et puis, si elle se passe bien, elle contribue à votre guérison. Quand on est malade, on veut saisir toutes les occasions d'espoir, n'importe quoi, le regard d'un médecin, une émission de télévision, un bon repas, tout. Je ne sais pas si les médecins se rendent compte que leur attitude à notre égard est fondamentale. Le médecin est un *deus ex machina*. Je me souviens que lorsque je voyais cette femme entrer avec ce regard sombre, je me disais : "Si elle pouvait entrer avec le sourire ! Peut-être a-t-elle des problèmes, mais ce n'est pas à moi de les comprendre." Je ne sais pas si les médecins se rendent compte de l'impact de leur regard. On veut être rassuré, on ne demande que ça ! »

Je fais remarquer à Olivier qu'il est parfois difficile aux médecins de rassurer les malades parce qu'ils savent que le traitement possède une marge d'incertitude et que cela les angoisse.

« Oui, mais, dans mon cas, j'aurais préféré être tenu informé de la nature de ma maladie, de la difficulté à la soigner, de l'incertitude totale de l'issue, ça m'aurait mis les idées en place, même si elles étaient négatives. Alors que j'avais l'impression d'être dans un marais, ballotté, prisonnier. Les médecins, eux, pensaient que j'étais bien comme ça. »

Être traité comme une personne

Tant de malades se plaignent d'être humiliés, « chosifiés »…

« On a l'impression qu'on est une marchandise, étalée sur un lit. On vous pique, on vous transporte, on vous monte, on vous descend, on attend, on se demande pourquoi on attend, mais c'est comme ça, et puis il fait froid, on vous met ailleurs, puis quelqu'un arrive, on vous donne un truc infect à bouffer, tout est comme ça. Chosifié », raconte Olivier.

Henri, suivi depuis plus de dix ans à l'hôpital pour son sida, se plaint de toutes les petites humiliations dont il est l'objet. Cette façon assez minable, par exemple, qu'ont certains de vous faire sentir que vous êtes en leur pouvoir. Cela commence dès la prise de rendez-vous avec son médecin, à l'hôpital.

« "Je voudrais un rendez-vous avec le docteur X s'il vous plaît." Au soupir de la secrétaire dans le combiné je sens déjà que je la dérange. "Oh là là ! ça va pas être tout de suite…" Elle me fait déjà comprendre la lourdeur de l'administration. C'est sans doute très inconscient. Je ne pense pas qu'elle ait la perversion de me dissuader de prendre rendez-vous, mais il faut bien qu'elle me fasse prendre conscience que je ne suis pas seul à en demander. Oui, j'aurai un rendez-vous mais il faut d'abord qu'elle aille chercher l'agenda. Si j'ai la patience d'attendre, elle reviendra pour me dire qu'il est plein jusqu'à la fin du mois, et qu'elle n'a pas celui de l'année prochaine. Si j'ai encore la patience de ne pas m'énerver et de prolonger mon attente, j'aurai la chance de me voir proposer un rendez-vous en juin. Comme je proteste devant une date si tardive, elle me répond : "Ah non, ce n'est pas possible avant. Pourquoi, c'est urgent ? Et pourquoi vous voulez voir le docteur X. ? – Mademoiselle, vous n'avez pas à me poser ce genre de question. Je n'ai pas l'habitude de donner mes renseignements médicaux au téléphone. Le secret médical, vous savez ce que c'est ?" »

Henri est quasiment contraint à l'agressivité, à la défense.

Quand on est malade, fatigué, vulnérable, attendre des heures dans une salle bondée est une épreuve, parfois à la limite du supportable. Tous les malades s'en plaignent. Ils sont convoqués à neuf heures pour une chimiothérapie d'une demi-heure, et ils ressortent souvent plusieurs heures après. « J'ai attendu deux heures et demie pour une chimiothérapie lourde. Nous étions sept à patienter dans une petite pièce et personne ne nous informait de rien. » Ce manque de considération à l'égard des patients vient renforcer leur sentiment d'être un « mannequin de salle pour travaux pratiques » ou bien « une poupée », « un numéro ».

Annie, une femme guérie aujourd'hui, témoigne de tous les petits dysfonctionnements qui, au fil des jours, quand on est affaibli, fragilisé par un traitement lourd, finissent par créer un climat déshumanisant, infantilisant. La nourriture que les aides-soignants vous lancent sur la table en chambre stérile, « un peu comme au zoo, on lance les cacahuètes au singe » ! L'antalgique qu'on vous refuse le soir, alors que vous avez mal, sous prétexte qu'il n'a pas été prescrit le matin ! La pesée sur une balance dans le couloir, devant les visiteurs.

« Je ne veux pas que cette idée que j'ai de moi, simplement parce que je suis malade, gravement malade,

soit foutue par terre par des comportements de soignants qui me réduisent à quelque chose que je ne suis
pas, que je suis devenu par le fait de la maladie, mais
qui n'est pas moi. »

De la même façon qu'Olivier, bon nombre de
malades vivent leur maladie comme une trahison du
corps. Ils ont besoin de sentir que les autres ne les réduisent pas à « cette chose malade ». Être malade ou porter
une maladie, ce n'est pas la même chose.

L'indifférence à leur pudeur vient renforcer le sentiment insupportable pour les malades de n'être qu'un
objet de soins. Ils ont parfois l'impression d'être un
corps morcelé au regard des soignants. Ils sont un
fémur, un sein, un genou, un poumon, mais pas un
homme ou une femme qui souffre d'un cancer. C'est
une partie, un morceau de leur corps qui intéresse la
médecine, pas leur personne. Comme si la façon dont
ils vivaient les choses n'avait aucune influence sur
l'évolution de leur maladie ! Aussi ont-ils le sentiment
d'être dépossédés d'une partie d'eux-mêmes. Un sentiment accentué par l'intrusion permanente de l'hôpital
dans leur vie intime, la façon dont les uns et les autres
entrent dans leur chambre comme dans un moulin, la
façon dont on leur impose les examens sanguins ou
radiologiques sans leur donner d'explication. Eux, ne
peuvent faire autrement que se plier aux règles hospitalières et se taire.

Ils accepteraient les traitements pour peu qu'on les
considère comme des sujets humains et non comme des
objets de soins.

Un appel à plus de solidarité

Solidarité, ce mot revient toujours dans la bouche des
malades. Ce besoin de sentir que l'on n'est pas seul, que
les autres vous soutiennent, vous accompagnent. Alors

le moindre manquement à cette attente est vécu comme insupportable.

Dans notre société de la bien-portance, où la jeunesse, la réussite et la forme physique sont constamment valorisées, on imagine combien l'annonce d'une maladie peut donner le sentiment d'être exclu, rejeté dans un monde à part. Cette peur d'être stigmatisé contribue à la solitude des malades. Ils n'osent affronter le regard des autres ni leurs commentaires. Ils se taisent alors, cachent leur maladie, finissent par se cacher aussi, comme s'ils portaient une honte.

Une femme raconte que des voisins ont interdit à leurs enfants de venir voir son fils atteint d'un cancer, de peur qu'ils l'attrapent à leur tour.

« On a l'impression d'être des pestiférés. Les gens nous évitent, comme si on était contagieux. Ils nous condamnent à l'avance. Ils nous voient un peu comme des morts-vivants. »

Certains malades, plus rares, choisissent de casser le tabou du cancer. De prononcer le mot, comme pour l'adopter, l'apprivoiser, et de parler sans complexe autour d'eux de cette maladie. « Cela ne se fait pas ! » s'entendent-ils parfois reprocher. Mais la plupart du temps cette attitude provoque des réactions chaleureuses, comme en témoigne ce maire d'une commune qui a reçu des centaines de lettres d'encouragement et d'admiration après avoir révélé son cancer à ses administrés. Ceux qui choisissent ainsi de parler expliquent que c'est une façon pour eux d'aider les autres, de leur dire : « Le cancer n'est pas tabou, c'est une maladie grave qui se soigne et qui ne signifie pas automatiquement qu'on va mourir demain. » Dans un petit village, des femmes ont décidé de fonder un club, le « Club des chimios ». En se tenant les coudes, cela leur a permis de tenir tête à la maladie.

Les traitements du cancer sont éprouvants, épuisants, mutilants. Il faut pourtant en passer par là. Les malades le savent, ils s'y soumettent. Mais tout est différent si quelqu'un est là, présent à leurs côtés, pour leur apporter du réconfort. Dans le *Livre blanc des premiers États généraux des malades du cancer*, on lit ces mots d'une femme : « J'aurais besoin que quelqu'un me parle, j'aimerais que l'on vienne à moi. »

Le réconfort dont ils ont besoin, les malades eux-mêmes essaient de se l'apporter les uns aux autres. Ils savent qu'une « chimio », cela peut être terrible quand on est seul, avec sa perfusion dans le bras, au milieu des autres malades décharnés, affaiblis. L'angoisse vous envahit.

Sonia sort d'une salle de « chimio ». Il y a là une femme qui pleure. Personne n'est là pour lui tenir la main. Alors, Sonia s'avance vers elle avec un sourire d'encouragement. La femme murmure : « Merci, merci, vous me faites du bien. »

Une lettre m'est arrivée qui confirme combien les contacts chaleureux avec le malade sont importants : « Mon mari est mort à l'hôpital et j'ai pu l'accompagner les deux dernières nuits. L'infirmière entrait dans la chambre, regardait la machine et partait sans prononcer un mot. Elle n'osait pas me regarder ni faire un geste vers moi. Pourtant cela m'aurait fait du bien, juste une main sur l'épaule pour me dire : je suis là, je comprends. Je n'en demandais pas plus. Mais rien, pas l'ombre d'un contact ! Ce n'était pas humain ! »

Quand quelqu'un vous parle, vous accompagne, on se sent plus fort, on reprend espoir. Mais la solitude des malades pourrait aussi être brisée, si les équipes soignantes et les médecins traitants coopéraient davantage.

Il n'est pas rare qu'un patient soit suivi par plusieurs médecins qui se contredisent, que les examens demandés par un médecin en ville soient systématiquement refaits à l'hôpital. Les malades ont alors l'impression d'être devenus les otages de rivalités entre structures de soins, et le médecin traitant a le sentiment d'être mis à l'écart. Le système de soins est devenu si complexe aujourd'hui qu'il faudrait que le malade joue lui-même le rôle de médiateur, qu'il se place au centre et fasse lui-même le lien entre le spécialiste et le généraliste. Or, si les malades souhaitent participer aux décisions qui les concernent, cette tâche semble trop lourde pour eux.

Autre aspect de ce manque de coordination : l'absence de suivi après l'hospitalisation dont les délais se raccourcissent aujourd'hui. Combien de malades rentrent chez eux sans qu'une prise en charge suffisante ait été organisée ? Les pharmaciens ne disposent pas toujours des produits mentionnés sur l'ordonnance. Certaines pompes à morphine se bloquent. Des malades stomisés se trouvent souvent très démunis pour mettre leurs poches[10]. Les relais de kinésithérapeutes ne se font pas toujours aussi vite qu'il le faudrait. Tous ces dysfonctionnements plongent le malade dans un sentiment d'abandon.

Médecins comme patients réclament donc une meilleure communication entre médecine hospitalière et médecine de ville. Les hospitaliers pourraient prendre leur téléphone pour informer le généraliste ; les hôpitaux leur ouvrir leurs portes. Comment prendre en charge des malades lourds sans se rencontrer, se parler ?

La parole aux familles

On sait à quel point la présence d'un proche peut aider le malade durant son hospitalisation. Cependant,

---

10. Lorsque l'évacuation de l'urine et des selles ne peut plus se faire par les voies naturelles, le chirurgien pratique une dérivation (stomie) qui aboutit à une poche qu'il faut changer régulièrement.

accueillir les familles n'est possible que si les soignants peuvent aussi les soutenir, les guider. Bien que nombre de services hospitaliers aient fait des progrès en ce sens, les familles représentent encore un poids, un « problème » pour les équipes débordées. Alors on préfère limiter les heures de visite, interdire que les proches assistent à un examen ou à un soin. Et ils se sentent exclus.

Mon expérience au sein de l'unité des soins palliatifs de l'institut Montsouris m'a appris que l'énergie consacrée par une équipe à l'écoute et au soutien des familles rejaillit sur les malades. Tous le disent. Leur souffrance est augmentée du souci qu'ils se font pour leurs proches, par la difficulté qu'ils ont à communiquer avec eux, car un mur de silence et de gêne se dresse insidieusement entre eux. J'ai été fortement impressionnée par le savoir-faire des Anglo-Saxons dans ce domaine. Lorsqu'un malade est accueilli au St Christopher Hospice, le médecin le reçoit avec sa famille. Ce qu'il dit au patient est entendu par tous, sans aucun double langage.

Parce que la maladie bouleverse les relations que le malade entretient avec son entourage, elle a une dimension sociale qu'il faut prendre en compte. Le patient dit souvent son désir de rassurer sa famille et sa peur d'être une charge pour elle. Les proches disent leur volonté d'aider le malade, mais avouent aussi leur inexpérience, leurs limites et leur culpabilité de ne pas être assez présents ou assez aidants. On sent combien leur besoin de parler, de communiquer est fort. J'ai souvent eu le sentiment qu'il suffisait d'un peu d'écoute et de disponibilité à leur égard pour que les proches deviennent des partenaires de soins. Mais parce qu'on ne les prend pas en considération, ils sont souvent vécus comme des gêneurs.

Dans les unités de soins palliatifs, les familles peuvent accéder aux chambres à toute heure du jour ou de la nuit, et aucune limite d'âge n'interdit l'entrée à une catégorie de visiteurs. Ainsi voit-on parfois avec émotion des nouveau-nés dans les bras d'une grand-mère ou d'un grand-père mourants. Moments pleins de sérénité et de joie ! Les familles ne sont pas non plus exclues des soins ni des toilettes. Ce sont les malades et leurs proches qui choisissent, ou pas, de partager ce moment.

Pourquoi les hôpitaux ne décideraient-ils pas de nouvelles règles d'accueil ? Pourquoi n'offriraient-ils pas plus de place aux familles, surtout lorsque le pronostic vital est en jeu ? On ne mesure pas à quel point leur exclusion contribue à ce que certains n'hésitent pas à appeler « l'inhumanité de l'hôpital ».

J'ai moi-même souffert de cette exclusion, alors que j'accompagnais ma grand-tante dans les derniers jours de sa vie. Elle était hospitalisée dans un service de chirurgie à l'hôpital Saint-Antoine, et elle avait mal réagi à l'intervention. Elle était très âgée, sourde, et elle est morte en une semaine. Malgré la grande angoisse qui l'étreignait, à deux reprises, j'ai été sommée de quitter la chambre. La première fois à l'occasion d'un soin. L'infirmière devait aspirer les glaires qui encombraient sa gorge et lui donnaient l'impression d'étouffer. Je savais, pour en avoir été si souvent témoin, que cette manipulation est une véritable torture. J'ai donc proposé de rester pour tenir la main de ma grand-tante, la rassurer, mais la soignante m'a ordonné de sortir. Je me suis exécutée, la mort dans l'âme, pour ne pas faire de scandale. Je savais qu'une infirmière ne peut pas à la fois enfoncer la canule, aspirer et tenir la main d'un malade. C'est impossible ! Quand je suis revenue dans la chambre, la tension de ma grand-tante était montée à 20. Du sang coulait de sa bouche et elle murmurait, très angoissée : « Maman, maman, je souffre, j'étouffe. » À neuf heures, le soir, j'ai demandé à l'infirmière de nuit si la famille pouvait se relayer au chevet de ma tante. Bien que légitime, ma demande a été refusée, pour des « raisons de sécurité » ! Les infirmières appliquaient les règles de l'hôpital, bêtement dirais-je, sans se demander si la situation ne commandait pas une autre attitude, plus humaine.

C'est quand les règles institutionnelles priment sur le besoin des personnes que commence l'inhumanité à l'hôpital.

J'ai reçu la lettre d'un homme qui raconte la manière dont ses parents sont morts à l'hôpital. Son témoignage illustre parfaitement l'erreur que commet l'hôpital en refusant de faire une place aux familles des malades.

« Mon père atteint de graves troubles du comportement a été hospitalisé en pneumologie, faute de place dans le service de neurologie où il était habituellement soigné. Lorsque l'infirmière de nuit est venue lui donner ses consignes pour la prise des médicaments, je lui ai fait part de mes inquiétudes, car je le savais fragile psychologiquement. Elle m'a répondu : "Je ne connais pas ce monsieur, ce n'est pas mon service." J'avais du mal à quitter mon père, mais personne ne m'a encouragé à passer la nuit avec lui. Vers deux heures du matin, ma mère, qui a soixante-dix-neuf ans et de graves problèmes cardiaques, a reçu un appel téléphonique. On lui annonçait que son mari était en train de mourir. Plus tard, nous avons appris qu'il n'était pas décédé dans son lit, mais dans l'escalier. La rumeur a circulé qu'il s'était défenestré. À ce jour, nous ne connaissons toujours pas les circonstances exactes de son décès.

« Quelques mois plus tard, alors que son médecin traitant venait la voir, ma mère a fait un arrêt cardiaque. Le médecin l'a réanimée et l'a fait hospitaliser. Elle s'est retrouvée aux urgences. L'histoire de mon père m'est revenue à la mémoire, et je n'ai pas voulu la quitter. Elle allait très mal. J'ai donc forcé les réticences du personnel soignant pour qu'il accepte ma présence. Quelques minutes plus tard, ma mère a fait un nouvel arrêt cardiaque. Cette fois, je suis sorti, car j'ai - compris qu'il fallait laisser le champ libre à l'équipe soignante. Mon seul souci pourtant était d'être au plus près d'elle. Une fois qu'elle a été admise en réanimation, j'ai à nouveau patienté dans le couloir. Je peux admettre l'exclusion de la famille dans de telles circonstances, mais je refuse d'admettre l'interdiction qui m'a été opposée d'être près d'elle, alors qu'elle était mise sous machine et qu'il ne s'agissait plus que de la surveiller.

« Ma mère était très angoissée, puisqu'elle était inconsciente à son arrivée. Ma présence ne pouvait que la rassurer. Hélas, l'hôpital préfère utiliser la méthode agressive en attachant les malades, en utilisant des calmants à haute dose, plutôt que d'avoir recours aux familles qui feraient un travail de paroles et de réconfort.

« Je voudrais tellement que vous compreniez le sens de ce témoignage. Je voudrais tellement que l'hôpital s'appuie davantage sur les familles. Aucune proposition n'est faite en ce sens. On prend au contraire la direction inverse. »

Lors d'un attentat, les médias annoncent à grands frais l'arrivée des psychologues sur les lieux du drame, pour écouter les familles, leur permettre d'exprimer leur angoisse. Pourquoi ne prend-on pas plus au sérieux le besoin de parler des proches de quelqu'un qui tombe gravement malade ? Il me semble que la présence de psychologues dans ces services difficiles, où l'on est confronté à l'angoisse des familles, est indispensable.

De la violence dans les soins

La violence dans les soins existe partout, en famille, dans les institutions. Elle est souvent secrète, mais c'est une réalité sur laquelle on ne doit pas fermer les yeux.

Elle prend plusieurs formes. Physique, lorsqu'un soignant entrave la motricité d'un patient en l'attachant toute une journée dans son lit ou dans son fauteuil, lorsqu'il pose le plateau de nourriture si loin que le malade est incapable d'y accéder, lorsqu'il le nourrit de façon mécanique, qu'il le gave, ou lorsqu'il le lave comme un objet en série. Physique encore, lorsqu'on pique ou que l'on sonde de façon violente. C'est le cas chaque fois que ces actes intrusifs ne s'accompagnent pas de paroles ou de gestes symbolisant la relation d'être humain à être humain. Mais la violence dans les soins peut également être psychologique : les injures, la familiarité déplacée, les menaces, le chantage en font partie.

Une femme, qui vient d'être opérée le matin même, raconte comment sa voisine de chambre et elle-même sont attachées, de chaque côté du lit. L'envie leur vient de « faire pipi » ; l'infirmière leur apporte un bassin. Quand elles ont fini, elles sonnent, et personne ne vient. Une demi-heure après, elles recommencent. Toujours pas de réponse. Elles finissent par appuyer sans interruption sur la sonnette jusqu'à ce qu'une veilleuse de nuit arrive et les insulte. Comme cette malade se plaint de son attitude, la soignante répond qu'elle est fatiguée et qu'elle a bien le droit de l'être. Elle leur retire le bassin sans ménagement.

Il suffirait peut-être que l'on accompagne d'une explication les gestes que l'on impose aux malades, pour qu'ils soient vécus moins violemment. À la suite d'une grave opération, cette femme est restée attachée pendant douze jours ; elle se débattait violemment : « Si on m'avait parlé, on aurait trouvé une solution pour que je ne me déchaîne pas », dit-elle.

Dans *Une ethnologue à l'hôpital*, Anne Vega observe deux infirmières qui tombent d'accord pour ne plus répondre aux coups de sonnette des patients. À propos d'une malade qui vient d'achever son traitement de réhydratation constante et qui les appelle assez régulièrement pour qu'on lui mette le bassin, elle entend l'une d'elles se plaindre : « Elle exagère de nous déranger constamment pour trois gouttes. Qu'est-ce qu'elle a ? Elle se comporte comme une détraquée[11]. »

Ce genre de petites brimades est plus fréquent qu'on ne le pense. Elles sont la traduction du mal-être de certains soignants surchargés de travail, déprimés, peu soutenus dans cette confrontation quotidienne avec la maladie grave et la menace de mort qui pèse sur leurs patients.

Libération[12] a publié le cri de révolte d'une jeune femme devant la manière inhumaine dont sa grand-mère est morte à l'hôpital, confrontée à « ce que l'homme a de plus barbare en lui » :

« Un jour, j'ai été horrifiée de trouver ma grand-mère couverte de cloques et de brûlures. Une aide-soignante l'avait contrainte à prendre une douche sous l'eau brûlante, dans une salle commune où hommes et femmes étaient mélangés. [...] On pense aisément que les "vieux" n'ont plus leur tête, alors à quoi bon se gêner ? Il est si facile de passer ses nerfs gratuitement sur eux ! »

Une autre fois, l'infirmière refuse le coussin que sa grand-mère avait demandé pour soulager son dos. La

---

11. Anne Vega, *Une ethnologue à l'hôpital : l'ambiguité du quotidien infirmier*, Éditions des Archives contemporaines, « Une pensée d'avance », Paris, p. 81.

12. *Libération*, 26 et 27 août 2000, « Rebonds ».

jeune femme doit se résoudre à aller chercher un coussin chez elle, mais, à son retour, sa grand-mère est morte. « Ma grand-mère est morte dans la nuit, dans un lit froid d'hôpital, loin de ceux qui l'aimaient. Avez-vous déjà songé au jour de votre mort ? Aimeriez-vous crever ainsi, comme un chien, sans personne à qui tendre la main ? »

Ce témoignage montre que des actes de négligence et d'indifférence peuvent être vécus par les malades et leur famille comme des actes d'inhumanité. Comment peut-on accepter, en effet, qu'un être cher, une grand-mère à qui on doit beaucoup d'amour, puisse terminer sa vie sans la moindre marque de respect et d'attention ?

Un homme m'a écrit à propos d'un service de moyen séjour où sa mère a été transférée.

« Ici, on perd sa dignité si le séjour se prolonge trop longtemps car le service ne peut pas offrir aux malades ce qu'ils sont en droit d'attendre et de recevoir.

« On voit des personnes qui se plaignent d'avoir des couches alors qu'elles ne sont pas incontinentes mais qu'elles ne peuvent plus se déplacer seules, d'autres attachées sur leur fauteuil alors qu'elles pourraient faire encore quelques pas si quelqu'un les aidait à marcher, d'autres encore couchées qu'on n'a pas le temps de laver, d'autres qui attendent qu'on veuille bien les faire manger.

« Il y a quelque chose d'intolérable à voir ces personnes démunies, dont la mémoire est encore intacte, et qui parlent de ce temps qui a été heureux. Leur vie au quotidien est désormais "tellement moche" qu'elles n'ont plus qu'une envie, en finir.

« Est-il donc impossible de montrer un peu de chaleur et de dignité envers ces personnes en fin de vie ? Est-il donc impossible de venir les aider à aller aux toilettes plutôt que de leur mettre des couches ? Est-il impossible de passer un peu plus de temps auprès d'elles plutôt que de les attacher sur leur fauteuil ? Que peut-on faire pour humaniser ce service ? »

Parfois, la maltraitance frise le scandale, comme en témoigne le livre de Jean-François Lacan, *Scandales dans les maisons de retraite*[13], un violent pamphlet contre la violence exercée à l'encontre des personnes âgées dans certains établissements de long séjour. L'auteur s'appuie sur une série de faits divers qui ont fait l'objet de procès et de condamnations.

Il faut tout d'abord souligner que ces faits divers restent exceptionnels et ne reflètent pas la réalité quotidienne des quelque dix mille établissements de retraite qui accueillent près de huit cent mille pensionnaires. Pourtant, à sa manière, Jean-François Lacan tire une sonnette d'alarme : si nous ne sommes pas vigilants, ce qui relève du fait divers peut se généraliser.

En 2002, le secrétaire d'État aux Personnes âgées a reconnu que, dans quelques-uns des établissements pour personnes âgées, la mauvaise gestion, les dysfonctionnements multiples et la pénurie de personnels entraînent une situation qu'il a qualifiée d'indigne : mauvais traitements, repas qui ne correspondent pas aux menus affichés, soins non assurés mais facturés, disparitions d'objets appartenant aux pensionnaires qui ne peuvent ni protester, ni se défendre, ni témoigner de façon crédible.

L'ouvrage de Jean-François Lacan nous fait découvrir avec horreur que, dans certaines maisons de retraite, on inflige des brimades ahurissantes aux pensionnaires pour les punir de leur « comportement rebelle » ou de leur incontinence. Une vieille dame est

13. Jean-François Lacan, *Scandales dans les maisons de retraite*, Albin Michel, Paris, 2002.

bâillonnée avec sa culotte couverte d'excréments, un vieux monsieur attaché en plein soleil. Il est question de bains d'eau de Javel ou d'humiliations collectives, de pensionnaires qu'on déshabille devant les autres, que l'on gifle, que l'on insulte, que l'on traîne par terre, ou que l'on attache dans leur lit. De quoi pâlir de honte !

Ailleurs, on vole les vieillards. On les dépouille de leurs chéquiers ou de leurs bijoux, s'ils en ont, après les avoir assommés de neuroleptiques. Ces vols de personnes âgées sans défense sont plus répandus qu'on ne croit. J'en ai moi-même deux exemples. La nuit où ma tante est morte à l'hôpital Saint-Antoine, l'alliance en or qu'elle avait à l'annulaire a disparu, alors qu'elle avait déjà sombré dans le coma. De la même façon, profitant du coma agonique de la mère d'un de mes amis, hospitalisée d'urgence à l'Hôpital américain, quelqu'un a dérobé le solitaire d'une grande valeur qu'elle avait gardé au doigt.

Sans aller jusqu'au vol, le racket semble aussi une pratique courante dans certains endroits. Ainsi m'a-t-on cité récemment le cas d'une MAPI dans laquelle on ne lave les cheveux ou on ne coupe les ongles des pieds que si les pensionnaires donnent la pièce !

Cette maltraitance, fortement médiatisée alors qu'elle est circonscrite à quelques rares établissements, noircit injustement l'image des maisons de retraite, et on comprend la réaction de ces soignants qui refusent d'être assimilés à des tortionnaires. Pourtant les plaintes de plus en plus nombreuses auprès de l'association ALMA (Allô maltraitance des personnes âgées)[14] montrent que la violence contre les vieillards n'est pas une déviance marginale mais un véritable mal rampant. Elle n'est d'ailleurs pas seulement le fait des établissements :

14. Association créée en 1995 et qui a recensé huit mille cas de maltraitance.

la plus répandue est celle qui s'exerce au domicile des personnes âgées ! Le professeur Hugonot, fondateur d'ALMA, déclare à Jean-François Lacan qu'« aucune maison de retraite, même la plus irréprochable sur le papier, n'est à l'abri d'un dérapage[15] ». Parce que la tâche de soigner et d'accompagner les vieux est une tâche souvent ingrate. Quand le personnel est insuffisant, il s'épuise, se démotive, et finit parfois par nourrir des sentiments agressifs qui s'évacuent ainsi, dans une maltraitance occasionnelle, et souvent inconsciente, mais qui peut devenir chronique si l'on ne reste pas vigilant.

Il est intéressant de noter que les rapports d'expertise de psychiatres révèlent presque tous que l'enfance des soignants coupables de maltraitance est souvent marquée par la cruauté. Le contact avec des personnes incapables de se défendre ou de se plaindre, comme les enfants, semble raviver chez ces soignants le souvenir d'agressions anciennes, et les pousser à répéter les mêmes brimades ou les mêmes punitions que celles qu'ils ont subies. On m'a cité le cas d'une infirmière mise en examen pour avoir humilié des pensionnaires incontinents, en leur barbouillant le visage de leurs couches trempées d'urine. Enfant, c'est ce que sa mère lui infligeait, chaque fois qu'elle urinait dans son lit. On sait que le mécanisme d'identification à l'agresseur est une manière de survivre à l'agression. Ceux qui, enfants, ont été l'objet du sadisme des adultes deviennent parfois sadiques à leur tour.

Malgré l'horreur que nous inspirent ces maltraitances physiques, je voudrais en dénoncer une moins spectaculaire, plus quotidienne, mais qui est l'objet d'une banalisation de plus en plus répandue. Sans s'en rendre compte, on glisse vers l'inhumanité. Quand 40 % des résidents sont installés dans des chambres à plu-

15. Jean-Francois Lacan, *op. cit.*

sieurs lits, que 60 % sont privés d'un téléphone personnel, que 56 % doivent se contenter de douches collectives[16], on néglige complètement le nécessaire respect de leur intimité. De même, il est choquant de constater à quel point la sexualité des personnes âgées est peu considérée dans les institutions qui leur sont réservées. C'est un véritable tabou. On la cache, on la raille. On la juge anormale, impensable, inimaginable, dégoûtante. Depuis quand y a-t-il un âge au-delà duquel la sexualité deviendrait anormale ?

Il est vrai que certains résidents, à l'occasion des soins ou des toilettes, ont une façon d'exhiber leur sexualité, de se masturber ou de « bander » devant les soignants, qui est très mal perçue par eux. Ils peuvent être tentés de réprimer ces manifestations ou de les punir. Mais ils pourraient aussi s'en réjouir, puisque la sexualité est signe de vie, et simplement poser des limites claires pour qu'elle reste dans la sphère intime.

Je me souviens d'avoir souvent secondé des aides-soignantes confrontées à ce problème, dans l'unité de soins palliatifs où je travaillais. Les mourants aussi ont une sexualité. Il suffisait parfois que la soignante ose simplement dire à son patient qu'il avait le droit d'avoir ses désirs et ses rêves, mais qu'elle était là pour les soins, et qu'il ne devait pas l'importuner avec des paroles ou des gestes déplacés, pour que les choses rentrent dans l'ordre, dans le respect.

Il arrive aussi que deux personnes âgées consentantes aient des relations sexuelles à l'intérieur de l'établissement. Mais comment respecter leur droit à cette intimité quand elle est constamment violée ? Quand les portes des chambres sont équipées d'une petite vitre centrale pour faciliter la surveillance ? Quand tout le monde entre dans les chambres sans frapper ?

16. Chiffres cités par Jean-François Lacan, *op. cit.*, p. 92.

Parce que les « vieux » sont plus ou moins gâteux, on oublie de se signaler aux portes avant d'entrer et de les refermer avant d'entreprendre une toilette. Une enquête de l'INSERM, publiée en 1997, affirme que plus les pensionnaires sont dépendants, plus on a tendance à les considérer comme des objets. Le temps moyen consacré à leurs soins ou à leurs toilettes est alors beaucoup plus court : on met sept minutes en moyenne pour transférer un vieillard impotent de son lit à son fauteuil ; s'il n'a plus sa tête, le même geste est expédié en quatre minutes.

On sous-estime sans doute aussi l'impact de la pénurie de soignants sur cette maltraitance quotidienne dans les institutions de long séjour. Un personnel débordé a tendance à attacher les pensionnaires, pour ne pas avoir à les surveiller. C'est aussi en raison de leur charge de travail excessive que les soignants justifient les lits non faits, parfois maculés de matières fécales, tout juste recouvertes de couches usagées ; les rotations de toilette, un jour les hommes, un jour les femmes, parce que le temps dont ils disposent pour chaque tâche ne permet pas de laver tout le monde ; les repas qui arrivent froids, ou les horaires standards qui ne tiennent aucun compte des habitudes personnelles des résidants. Tout le monde est réveillé à la même heure, tout le monde doit dormir à la même heure ! Une ambiance générale de non-respect, de non-considération s'installe, presque sans que les soignants s'en rendent compte. Le fait que l'on tutoie systématiquement les résidants, qu'on les appelle « papy ou mamie », sans demander si cette appellation leur convient, vient clore cette série de manquements au respect et à la dignité auxquels nos aînés ont droit.

Si nous n'y prenons garde, cette absence de compassion à l'égard des vieillards donnera naissance sous peu à un véritable « racisme antivieux ». J'ai assisté un jour, dans un service d'urgences que j'étais venue visiter, à une scène qui m'a choquée. C'était la fin de la matinée. Je me trouvais sur le pas de la porte de la salle de coordination où des internes ne cessaient de téléphoner aux différents services de l'hôpital et à d'autres hôpitaux pour essayer de trouver des lits. Pressés, leur dossier sous le bras, d'autres internes entraient et sortaient. L'atmosphère était sous tension. Plus on avançait dans la journée, plus la salle d'attente se remplissait, les brancards encombraient les couloirs. Un jeune médecin est passé devant moi et a lâché cette phrase que je ne pourrai oublier : « Il y a du vieux dans la salle d'attente ! » Mon cœur s'est serré. Avais-je bien entendu ? « Il y a du vieux ! » Comme on aurait dit « du juif » dans un temps qui n'est pas si lointain !

Avons-nous suffisamment conscience de ce que représente, pour un être humain, ce moment où il ne peut plus compter sur lui-même ? Son corps le lâche. Tout d'un coup, il n'a plus la force de se lever, de monter les marches d'un escalier ; il ne peut plus aller chercher son pain. Parfois, c'est la tête qui s'en va, la mémoire qui s'évanouit. Il ne retrouve plus son chemin, ne sait plus où il a mis ses clés. Il voudrait bien pouvoir rester chez lui, mais il n'a pas les moyens de payer une garde. Ses enfants habitent loin, il vit dans un secteur où les réseaux de soins à domicile ne sont pas encore implantés. Il va lui falloir quitter ses habitudes, son chez-soi, ses objets familiers, ses animaux, ses souvenirs, entrer dans un établissement qu'il ne connaît pas, et vivre le restant de ses jours au milieu d'inconnus, parfois plus détériorés que lui. Il va falloir s'adapter à de nouveaux horaires, obéir à un règlement contraignant, dîner à six heures le soir, se coucher tôt, subir la télévision collective, n'être lavé qu'un jour sur deux si le personnel n'est pas assez nombreux, être attaché dans son lit, la nuit, pour sa prétendue sécurité, supporter des couches, être parfois abandonné devant une assiette froide et inappétissante au possible !

Les soignants, après des années de travail dans une maison de retraite, finissent par ne plus se rendre compte de ce que représente cette adaptation à une vie de dépendance, en collectivité, pour des gens qui ont toujours vécu autonomes. Quand, par-dessus le marché, le manque d'attention et de considération leur donne l'impression d'être devenues « une chose un peu sale, inutile », les personnes âgées se sentent avilies, humiliées. Beaucoup, pourtant, se résignent à subir cela quotidiennement. Et cette résignation est déjà une entrée dans la mort. Il ne faut pas s'étonner si 30 % de ceux qui vivent ce traumatisme meurent dans l'année qui suit leur entrée dans un établissement.

On se demande parfois pourquoi ceux qui en sont témoins ne dénoncent pas ce manque d'humanité. Ont-ils peur de perdre leur emploi, de s'attirer des ennuis, d'être eux-mêmes accusés de diffamation ? En tout cas ils ferment les yeux, deviennent sourds et aveugles devant ce qui ne manque pas de choquer tout visiteur extérieur.

J'ai rencontré des bénévoles d'une maison de retraite qui m'ont dit souffrir de ne pouvoir dénoncer ces maltraitances. Il leur faut être là, observer, garder le silence, s'ils veulent continuer à venir. « Si nous remettions en cause la manière de traiter les résidants, on nous renverrait sur-le-champ ! »

Et cela leur est d'autant plus pénible qu'ils n'ont pas le droit d'aider les soignants : « Il y a une dame qui réclame qu'on la couche, parce qu'elle est fatiguée, elle a mal au dos. L'équipe refuse de le faire avant l'heure habituelle, et nous n'avons pas, nous bénévoles, le droit de le mettre dans son lit. Il nous faut donc rester là et la regarder souffrir », raconte Dolorès. Bien que révoltée de cette situation, elle continue à se rendre à la maison de retraite, consciente sans doute que chaque visite, chaque regard, chaque baiser est sans prix pour les résidants.

Quant aux familles, elles fuient pour la plupart ce lieu qui leur rappelle cruellement leur responsabilité dans l'abandon où vivent leurs parents ou leurs grands-parents. Celles qui ont eu le courage de se plaindre, d'interpeller la direction sur tel ou tel comportement qui leur semblait manquer de respect et de dignité, se sont souvent entendu proposer de reprendre chez elles leur parent âgé, puisque la confiance était entamée… Alors on finit par s'habituer à ce qui reste pourtant profondément choquant.

Ce manque d'humanité et de respect envers la personne, on le retrouve aussi dans les lieux qui accueillent les femmes enceintes, dans la manière, par exemple, de leur imposer la date et les modalités de leur accouchement.

Laure est suivie dans une clinique de Versailles pour sa quatrième grossesse. Pour son premier accouchement, elle avait demandé une péridurale. Pour les deux accouchements suivants, elle a préféré s'en passer. Elle voulait, disait-elle, sentir l'expulsion. Vivre et sentir pleinement l'acte de mettre au monde. C'était important pour elle. Il lui a fallu beaucoup de confiance en elle et de persévérance pour tenir tête aux arguments contraires des sages-femmes. On a essayé de la décourager, de lui faire peur : « Que se passera-t-il si elle a trop mal en fin de dilatation ? Il sera trop tard alors pour l'anesthésier. » Il y avait quelque chose de violent dans cette façon de vouloir infléchir sa décision. Mais elle a tenu bon, n'écoutant que son intuition, et elle ne l'a pas regretté.

Cette fois-ci, pour ce quatrième accouchement, elle est soumise à une double pression. L'enfant tarde à venir. Bien que l'analyse du liquide amniotique ne montre aucune souffrance fœtale, l'équipe de la maternité insiste pour déclencher l'accouchement. Laure résiste. Elle sent d'instinct qu'il faut laisser le temps à cet enfant de se faire naître. On finit par la culpabiliser. On lui fait sentir qu'elle est égoïste, qu'elle ne pense pas à l'équipe pour laquelle il serait tellement plus simple de programmer l'accouchement en dehors de la nuit ou du week-end ! Laure, fatiguée de se battre, finit par se soumettre aux décisions de la clinique. L'accouchement sera déclenché, sans aucune véritable raison médicale. Malheureuse d'avoir eu à se résoudre à quelque chose qui est contraire à ce qu'elle sent, avec son corps et son intuition de femme, elle finira par accepter aussi la péridurale qu'on lui impose dans la foulée, alors que l'expérience a prouvé qu'elle pouvait s'en passer sans aucun problème !

Claire me raconte comment, alors qu'elle a établi une complicité qui compte avec la sage-femme qui a suivi son « travail », l'obstétricien de service décide autoritairement, au moment de l'expulsion, de confier la naissance à un jeune interne. « J'ai un très grand regret de la manière dont j'ai vécu cet accouchement. Je n'ai pas supporté que ce type me touche. Je m'en veux de n'avoir pas demandé que ce soit cette sage-femme, avec laquelle il s'était noué quelque chose, qui m'accouche. Le fait que ce type que je ne connaissais pas sorte mon bébé du ventre, je l'ai vécu comme un viol. Le mot est un peu fort, mais c'était ça. »

Voilà comment les règles de l'organisation des soins, le souci du confort des équipes dictent les modalités d'un acte naturel de la vie, celui de mettre au monde, un acte dont l'importance affective et psychologique n'est plus à démontrer. Le souci de la sécurité des mères et de leur enfant masque trop souvent un souci d'un autre ordre, matériel et technique, une médicalisation à outrance, qui ne tiennent plus aucun compte de la subjectivité des femmes. On sous-estime la violence qui leur est faite, quand on ne tient pas compte de ce qu'elles vivent et qu'on les prive alors de l'appropriation de l'un des moments les plus forts de leur vie.

3

Pourquoi ce mépris de l'humain ?

Nous venons de faire un petit tour d'horizon des plaintes des usagers de la santé. Partout, on réclame plus d'humanité, d'attention, de respect. Les professionnels de la santé sont fortement mis en cause dans ce qui est dénoncé comme un mépris de l'humain.

Nous nous trouvons devant un paradoxe absurde. D'une part, les pouvoirs publics[1] ont décidé de mettre « le patient au centre du système de soins » et la loi[2] reconnaît maintenant les droits des malades à l'information, au dialogue, au respect, à la considération, à « une vie digne jusqu'à la mort ». D'autre part, l'évolution même de la médecine, ainsi qu'une série de décisions politiques, depuis plusieurs années, notamment la réforme du temps de travail, vont plutôt dans le sens d'une déshumanisation des soins.

On peut dire qu'aujourd'hui, malgré la résistance d'un bon nombre de soignants qui restent fidèles à leur conception du soin, l'hôpital n'assume plus sa fonction d'accueil et d'humanité.

La grande majorité des médecins et des soignants sont portés par des valeurs humanistes. S'ils les négli-

1. Lionel Jospin, dans la foulée des États généraux de la santé de 1998.
2. La loi du 4 mars 2002 sur les droits des malades.

gent, c'est souvent qu'ils souffrent eux-mêmes d'un manque de reconnaissance et de considération. Peut-on demander à des médecins ou à des infirmières qui ont le sentiment qu'on ne les valorise pas, dont l'engagement auprès de ceux qui souffrent n'est pas honoré, d'être humains avec leur malades ?

Dans un texte remarquable sur « Les figures du mépris en milieu hospitalier », une ancienne infirmière nous livre cette réflexion : « Le mépris se répand comme une traînée de poudre parmi les personnes qui se sentent méprisées[3]. »

Je voudrais attirer ici l'attention du lecteur sur les raisons profondes de cette attitude. L'inviter à comprendre que ceux qui nous « méprisent », lorsque nous sommes malades, se sentent pour la plupart eux-mêmes méprisés. Les conditions dans lesquelles ils travaillent les placent dans une situation tellement paradoxale qu'ils finissent par perdre toute estime de soi.

Telle infirmière, par exemple, se sent méprisée parce qu'un responsable de la direction passe régulièrement dans son service en reprochant à l'équipe de n'avoir que douze lits occupés sur les seize disponibles, pour décréter qu'il y a une infirmière de trop, lorsqu'elles ne sont que deux, alors que cinq patients sont en fin de vie. Cette façon de faire passer les préoccupations économiques avant la qualité des soins lui est quasiment insupportable. « Ce responsable se moque complètement de la charge de travail et ne voit que les chiffres. Il ne gère pas un personnel mais des pions que l'on ajoute ou que l'on retire, à son gré. » Se sentant méprisée, elle finit par avoir une image d'elle-même altérée. Elle reconnaît que sa colère et sa lassitude ont des réper-

---

3. Élisabeth de Villemeur, « Les figures du mépris en milieu hospitalier », mémoire de DESS Éthique médicale et hospitalière, université de Marne-la-Vallée, septembre 1999.

cussions sur la qualité des soins. Les patients sentent le stress des soignants lié à la mauvaise organisation du service et au manque d'effectifs. La mésentente entre les catégories professionnelles et les conflits hiérarchiques augmentent leur angoisse et leur inquiétude.

Il suffit de parcourir les articles de presse de ces dernières années. Une série de mouvements de protestations et de grèves ont exprimé le ras le bol de ceux qui ont pour mission de soulager la souffrance humaine.

Comment l'hôpital peut-il assumer sa mission d'accueil et d'humanité, quand les mesures adoptées pour stabiliser les dépenses de santé paralysent cette mission ? Quand la logique comptable et les heures de procédure imposées par des technocrates qui ne connaissent pas la réalité du terrain éloignent définitivement les professionnels de santé de leur vocation essentiellement humaine ?

Dans le rapport qu'il a consacré au « désenchantement hospitalier », à la suite d'une mission d'information parlementaire, René Couanau, député (UMP) d'Ille-et-Villaine, dénonce un « malaise généralisé » et relève des indicateurs objectifs de « lassitude ». L'accroissement de l'absentéisme pour « maladie ordinaire », l'augmentation des démissions, des conflits au sein des équipes.

Il nous faut donc comprendre pourquoi l'hôpital va si mal, comprendre les difficultés de ceux qui ont pour mission de nous soigner et à qui l'administration rend souvent la tâche difficile, les raisons de cette immense déprime qui gagne les soignants, sabote leur enthousiasme et bloque toute leur créativité.

L'hôpital entreprise

L'hôpital, dont la fonction historique humaine et sociale a toujours été de s'engager au service de ceux qui souffrent, est devenu une espèce d'usine à soins. Avec un objectif affiché : être économiquement rentable. Or aujourd'hui, il semble bien que l'entreprise hospitalière soit au bord d'une double faillite, économique et humaine. Comment en est-on arrivé là ?

Pendant plus d'un millénaire et jusqu'en 1950, l'hôpital était une institution charitable, tenue par les ordres religieux. Il accueillait les plus pauvres, ceux qui étaient privés de famille, ceux dont personne ne voulait. Il était rare qu'un malade issu d'une classe aisée consulte ou se fasse admettre à l'hôpital. On naissait et on mourait chez soi.

Depuis 1950, la médecine a fait plus de progrès qu'en cinq cents ans. L'hôpital est alors devenu le lieu presque obligé de la naissance, de la maladie et de la mort.

Des transformations sociologiques ont contribué, bien évidemment, à cet afflux massif des malades vers l'hôpital. Le monde change, les familles se dispersent. Le travail des femmes, la vie moderne dans des logements exigus ne permettent plus de garder à domicile un grand malade, a fortiori un mourant. Comment garder un mort chez soi, quand on ne peut pas arrêter le chauffage d'une pièce et que l'escalier est trop étroit pour descendre le cercueil ?

Mais l'hôpital est surtout devenu le lieu où se concentrent tous les équipements sophistiqués, nécessaires aux investigations et aux traitements, dont nous disposons. Il a ainsi été investi d'une fonction thérapeutique qu'il n'avait pas jusque-là. Très vite, l'opinion publique a compris que c'était le lieu où il fallait se rendre si l'on voulait guérir. La sécurité qu'il offre vaut le sacrifice du confort moral et matériel que le malade gardait en restant chez lui. D'ailleurs, les médecins généralistes eux-mêmes, ne disposant pas des moyens diagnostiques nécessaires, incitent de plus en plus leurs patients atteints d'une maladie sérieuse à se faire hospitaliser.

L'hôpital regroupe aujourd'hui plus de cent spécialités et une centaine de métiers différents. Cela pose inévitablement le problème de l'organisation du travail, de son coût et de sa gestion. Or ces considérations sont privilégiées au détriment de la relation humaine.

« Quand un système ne reconnaît pas les valeurs relationnelles du soin, les gens, qui agissent en fonction de leur intérêt, se mettent à les négliger. Ils jouent les règles du jeu qui leur sont imposées », me fait remarquer Jean de Kervasdoué[4].

On comprend alors que les professionnels de la santé, dont on ne valorise plus que l'efficacité et la rentabilité, finissent par négliger ce qu'ils appellent le « relationnel ».

Pourtant, au-delà des thérapeutiques dont ils reconnaissent l'excellence, les gens attendent de l'hôpital une certaine humanité. Le défaut d'accueil, les attentes interminables dans les couloirs, l'absence d'information et de dialogue donnent rapidement aux malades le sentiment de ne plus être qu'un numéro, un objet de soin. La disponibilité qu'ils attendent est-elle à ce point incompatible avec l'évolution de la médecine, sa technicité croissante, la réduction du temps de travail. Faut-il faire le deuil de cette exigence d'humanité ?

Jean de Kervasdoué, lorsque je l'ai rencontré au début de mon enquête, pensait que si l'hôpital ne pouvait plus jouer son rôle de refuge, « materner » ceux qu'il accueille, il pouvait changer les règles du jeu, décider de valoriser l'accueil et le dialogue, la présence, l'attention. Alors, les mentalités changeraient. Il en est sans doute encore plus convaincu aujourd'hui, après être passé de l'autre côté de la barrière des bien

4. Entretien du 28 février 2001.

portants, comme nous l'avons évoqué au début de cet ouvrage.

La gangrène administrative

Il y a aujourd'hui plus d'administratifs que de médecins dans les hôpitaux. « Près de dix mille à l'AP-HP, plus d'un pour deux infirmières, deux fois plus que de médecins à plein temps, et cela sans compter les 10 ou 15 % des seize mille infirmières transformées en cadres de gestion, éloignées des malades, sans plus aucune action de soin, mais comptabilisées dans les "soignants". Il faut également inclure les 10 ou 20 % du temps des infirmières et des médecins passé à nourrir de papier cette machine folle[5] », écrit Philippe Even, dans un véritable brûlot contre la gestion de l'Assistance publique.

« La densité des administratifs pour cent lits, qui est de dix-sept dans les petits hôpitaux publics [...], atteint le chiffre de cinquante-six dans les hôpitaux aigus de l'AP-HP, presque un entre chaque lit ! Cette multitude n'est là que pour transmettre chaque jour à l'administration centrale les milliers d'informations, calculs, états, comparaisons, prévisions, estimations, évaluations, rapports qu'elle sollicite [...] pour justifier son existence. Elle est là aussi pour diffuser dans l'autre sens les centaines de lettres et circulaires émanant des différentes directions, sous-directions, délégations du siège. [...] Chaque matin, chaque directeur d'hôpital trouve sur son bureau dix, vingt, trente centimètres de courrier, d'informations connues depuis longtemps ou

5. Philippe Even, *Les Scandales des hôpitaux de Paris et de l'hôpital Pompidou*, Le Cherche Midi éditeur, Paris, 2001.

périmées, ou parties de l'hôpital même, deux mois auparavant, et retournées telles que, pour informer l'informateur[6] ! »

Cet ouvrage virulent nous alerte contre la croissance ininterrompue des coûts administratifs qui pourraient bien atteindre le tiers des dépenses de santé en 2005 et la moitié en 2020, alors même que les hôpitaux n'en tirent pas un réel bénéfice. Mais il faut bien reconnaître que tout le monde dénonce cette gangrène administrative, les directeurs d'hôpital, les médecins, les cadres de santé, les infirmières.

C'est, raconte Philippe Even, l'histoire des « *six poor travellers* » de Charles Dickens, contraints de coucher dehors dans le froid et sous la pluie, tandis que la maison, bâtie pour eux, est entièrement occupée par l'administration charitable qui devait leur procurer le gîte et le couvert.

Pénurie de moyens, pénurie de médecins et de soignants

Quelle peut bien être la réaction de cette infirmière à qui l'on annonce le matin même qu'elle devra s'occuper de quarante patients au lieu de vingt, parce que sa collègue est malade et qu'on ne la remplacera pas ? Quelle valeur accorde-t-on à son travail ? Quel soin prend-on d'elle ? Comment la considère-t-on ? Comme un robot qui doit exécuter ses soins à la chaîne ? Peut-on raisonnablement attendre d'elle qu'elle fasse preuve d'humanité et de patience avec ses malades ?

On manque de soignants. On manque aussi de médecins. Et la situation ne va pas s'améliorer. Entre 2005

6. *Ibid.*

et 2015, un hospitalier sur deux partira à la retraite, alors que les établissements de santé devront faire face à un accroissement de la demande, lié au vieillissement de la population.

« Aujourd'hui déjà, il faut parfois attendre plusieurs mois pour être soigné ou opéré dans certaines spécialités. Des blocs de chirurgie ferment parce qu'ils ne disposent pas des spécialistes demandés. Les gardes sont assurées par des médecins étrangers. Et puis la lourdeur administrative, la désorganisation due aux trente-cinq heures, la guerre intestine entre les administratifs et les médecins, tout cela n'arrange pas les choses[7]. »

La réforme des trente-cinq heures et de la réduction du temps de travail signifiait du temps gagné pour soi, pour sa famille, pour sa vie sociale. Elle visait une amélioration de la vie des soignants. Elle s'est avérée une catastrophe, parce qu'elle confronte les professionnels de la santé à une situation intenable.

J'ai rencontré plusieurs directeurs d'hôpitaux et leur tâche m'a paru bien lourde. Les directives gouvernementales les placent dans des impasses inimaginables. Comment humaniser l'hôpital quand on vous coupe tous les moyens de le faire ? « Comment faire la même activité avec 10 % d'offre de travail en moins, sans effectifs supplémentaires, alors que l'on était déjà en sous-effectifs ? » demande l'un d'eux. Certaines activités, pourtant essentielles à la vie de l'équipe et à la communication entre les professionnels, vont disparaître. Ainsi seront supprimées les transmissions entre équipes, les réunions de travail, les temps de formation, de partage, de réflexion éthique, là où ils avaient été laborieusement mis en place.

Contrairement à ce que les malades croient, les directeurs d'hôpitaux ont une marge de manœuvre limitée.

7. Entretien avec le professeur Didier Meillère, 4 janvier 2002.

Coincés entre les tutelles administratives et politiques et les contre-pouvoirs médicaux et syndicaux, deux tiers d'entre eux estiment qu'ils n'ont pas les moyens de moderniser leur établissement. Ils gèrent la pénurie. Leur activité est de plus en plus bridée. Dans le service public, ils n'ont pas le pouvoir de nommer les médecins ni celui de les révoquer. Le budget qui leur est alloué est fixé par l'Agence régionale d'hospitalisation, en fonction des points ISA[8] de l'hôpital. C'est ainsi que le critère de rentabilité l'emporte sur l'humanité : qu'un lit de médecine soit occupé par une personne âgée en attente d'une institution pour l'accueillir est une catastrophe financière pour l'hôpital, car il va perdre des points ISA[9].

Lorsque je leur ai demandé ce qu'ils pensaient des trente-cinq heures, les directeurs d'hôpitaux que j'ai rencontrés[10] ont tous confirmé qu'il s'agissait d'un « véritable séisme ».

« À Saint-Joseph, explique M. Barrault, cela fait deux ans que nous avons mis en place les trente-cinq heures. Je constate les dégâts causés, et tout le monde en est conscient. Je crois que c'est la plus grande catastrophe qui pouvait nous arriver. Une enquête vient d'être menée à l'initiative des syndicats. Personne ne demandait les trente-cinq heures. Les syndicats eux-mêmes sont contre, même s'ils s'en servent comme alibi pour obtenir plus. Alors on négocie sur le temps de déshabillage, de réhabillage. Les infirmières ont une

8. ISA : indicateur synthétique d'activité. Les points ISA représentent l'argent dépensé en moyenne, dans un hôpital moyen, par un patient moyen.

9. La réforme de Jean-François Mattei, « Hôpital 2007 », ainsi que la réforme de la tarification à l'activité devraient améliorer la situation.

10. M. Barrault, directeur de l'hôpital Saint-Joseph, M. de Tovar, directeur de l'hôpital Henri-Mignot à Versailles, et M. Benetteau, directeur de l'hôpital de Lorient.

telle charge de travail que le temps consacré à la relation avec le malade est inévitablement rogné. Elles parent au plus pressé. Celui qui en pâtit, c'est le patient ! Et surtout le patient vulnérable, le vieillard. Vous pensez, quand on a deux minutes pour donner un repas[11] ! »

« Bien sûr que je suis inquiet, et je ne suis pas le seul ! renchérit M. Benetteau[12]. Le gouvernement avait un double objectif : améliorer les conditions de travail, en faisant bénéficier tout le monde de cette mesure sociale, et puis un objectif assez exceptionnel pour le souligner, améliorer la prise en charge du patient. Or cette dimension-là a été complètement occultée dans le débat avec les partenaires sociaux. On a pensé qu'elle nous obligerait à réfléchir sur l'organisation du travail et qu'à partir de là on prendrait mieux en charge les patients. Mais ce n'est pas du tout le cas ! On est dans un système vitrifié. Personne ne veut remettre en question les avantages acquis. »

Bernard Kouchner l'admet dans son dernier livre[13]. Il raconte les réticences que cette réforme des trente-cinq heures lui a inspirées, les avertissements qu'il ne s'est pas privé de lancer : « L'hôpital n'a rien à voir avec le reste des entreprises. Les malades ne font pas les trente-cinq heures, ils ne se coupent pas en deux. Ils sont toujours là. On ne peut pas demander aux soignants qui sont déjà compressés de travailler moins si on ne crée pas des emplois en masse ! »

Même si certains hôpitaux ont opté pour le report des RTT et la constitution d'un compte épargne temps, la situation y reste difficile. Les soignants en congé maternité ou maladie ne sont pas remplacés, et la charge de

11. Entretien du 6 février 2002.
12. Entretien du 24 janvier 2002.
13. Bernard Kouchner, *Le premier qui dit la vérité*, Robert Laffont, Paris, 2002.

travail supplémentaire que leur absence entraîne incombe aux autres – la continuité des soins l'exige.

Alors qu'on met en place toute une évaluation de la qualité des soins à l'hôpital[14], la charge de travail n'a jamais été aussi lourde, et les moments qui permettaient aux équipes de se parler, de transmettre ce qu'elles savent des malades aux autres sont réduits au minimum. « Les temps de rencontre à l'intérieur des équipes n'existent plus, les gens s'en vont sans se parler, sans faire le bilan de la journée. Le temps qui reste on le consacre à l'indispensable, donc aux soins techniques », commente M. Barrault[15]. On sait pourtant que ce temps de chevauchement des équipes est un temps d'échange, précieux puisque c'est aussi du subjectif, de l'humain qui se transmet ainsi.

Bernard Kouchner lui-même le reconnaît. Le gouvernement a agi trop vite. Il aurait dû proposer un moratoire, prendre son temps. Au lieu de cela, il a désorganisé l'hôpital et brisé la vocation médicale. Car les médecins, eux aussi, ont commencé à prendre leurs RTT. Ils veulent être payés et pouvoir se reposer, ce qui est normal. Leurs exigences personnelles et familiales l'ont emporté sur leur vocation.

Le directeur de l'hôpital Saint-Joseph me confie : « Au début, je pensais que le corps médical ne serait pas touché par le syndrome des trente-cinq heures. Mais c'est comme la peste. Maintenant, même les médecins comptent leur temps. Ils ne le faisaient pas avant. Je ne programme plus de réunions le vendredi, parce que la moitié sont en RTT. Nous avons l'inspection du travail sur le dos, qui nous contrôle de façon intempestive, pour s'assurer que nous ne faisons pas faire plus de

---

14. Évaluation faite par l'ANAES (Agence nationale pour l'accréditation et l'évaluation des soins).
15. Entretien du 6 février 2002.

trente-cinq heures à nos cadres. Ceux qui travaillent plus se sentent coupables, parce qu'ils sont en infraction. On ne parle plus qu'en minutes, c'est devenu une obsession. »

Le repos de sécurité institué en 2001 par décret et l'intégration, en 2003, de la garde dans le temps de travail n'ont fait qu'accentuer la pression au sein des services. Quant aux futurs médecins, ils ne veulent plus se spécialiser dans des disciplines pénibles avec des contraintes de garde (chirurgie, anesthésie, pédiatrie, obstétrique…).

« Plus personne ne veut être chirurgien. C'est trop risqué, trop dur, trop long, pas assez payé, pas assez de repos, manque de vie privée », lâche le patron d'un service de chirurgie thoracique d'un grand hôpital parisien.

Bernard Kouchner est le premier à dire que cette comptabilité est absurde. Les gardes et la continuité des soins n'étaient-elles pas l'honneur de la profession médicale ? De ce point de vue, la RTT est un désastre, ou plus exactement « un inévitable catalyseur du changement des mentalités, et singulièrement de l'esprit médical[16]… »

La philosophe Suzanne Rameix[17] me confirme qu'aujourd'hui les médecins et les soignants semblent beaucoup plus préoccupés par leurs loisirs – leur fameuse RTT – que par le travail auprès des malades. « Et les chambres des patients sont envahies par ces préoccupations exprimées à haute voix : "T'en es où de tes récupérations ? Quand est-ce qu'on est en modulation ?…." Le patient a le sentiment d'être là par hasard. »

Qui se soucie des malades ? « Ils ont le sentiment de gêner, d'être de trop, répond M. Barrault. Ils sont rare-

---

16. Bernard Kouchner, *op. cit.*
17. Entretien du 30 janvier 2002.

ment revendicatifs pendant leur hospitalisation, parce qu'ils se sentent menacés. Mais dès qu'ils sortent, ils nous envoient des lettres. On a de plus en plus de contentieux, de lettres de plainte, et les médias amplifient le phénomène. »

Je me refuse à penser que toute une génération de médecins et de soignants a perdu de vue son idéal de service et de souci de l'autre. Mais le système l'assèche.

« L'objectif de la réforme, c'était de donner du liant, créer des rapports sociaux différents, servir la négociation sociale en repartant sur d'autres bases. On a fait le contraire, en imposant des horaires et en pétrifiant les rapports humains. Je le répète, notre erreur de méthode a été profonde. La plaie sera longue à cicatriser[18] », écrit Bernard Kouchner.

Une médecine de plus en plus technique

Dans une remarquable interview, *Libération*[19] publie le point de vue de Didier Sicard, président du Comité consultatif national d'éthique. Ce dernier critique vivement une médecine ivre de technologies, qui perd le contact avec le corps et ne sait plus écouter le patient.

« La médecine contemporaine devient une médecine d'arts ménagers : elle raffole de radios, IRM[20], scanners, échographies, analyses biologiques, marqueurs génétiques, tous aussi fascinants les uns que les autres. »

Cependant ce n'est pas la technique en soi que vilipende le professeur Sicard, mais son « emploi tota-

18. Bernard Kouchner, *op. cit.*, p. 116.
19. *Libération*, 23 février 2003.
20. IRM : imagerie par résonance magnétique.

litaire ». « L'image se met tellement devant le sujet, à la place de sa parole et de son corps, qu'elle confisque totalement la réflexion », dit-il. Pour corriger cette tendance, il faudrait que l'examen clinique retrouve sa prééminence.

Or, aujourd'hui, les étudiants en médecine ne savent plus ce qu'est un examen clinique, ils ne savent plus toucher un corps qui souffre. Le corps ne joue plus son rôle de « médium d'expertise ». Pourquoi d'ailleurs les médecins iraient-ils palper le corps, quand les tests et les machines peuvent suffire à établir un diagnostic ?

Un premier effet pervers de cette confiance excessive dans la technique est qu'on ne fait plus du tout confiance en revanche à ce que le corps ressent, ni à ce que le sujet dit de son corps. Pourtant, fait remarquer Didier Sicard, la plupart des troubles communs – les apathies, les maux de ventre, les migraines – sont « des maux transitoires, expressions de petits désordres de la vie, voire d'une plainte existentielle », invisibles par la technique. Néanmoins, pour vérifier, pour rassurer, et aussi parce que la technique pousse à consommer de la technique, on prescrit des examens. « Ce faisant, on remplace l'oralité, qui permet seule l'approche des névroses, par des explorations souvent vaines. »

Un deuxième effet pervers de la technologie est qu'elle provoque une obsession du dépistage et de la prévention qui finit par créer de l'angoisse. « Le sujet n'ayant plus confiance dans son corps, il angoisse, il réclame des examens », explique Didier Sicard. La médecine contemporaine, « c'est en somme Knock disant : "Vous avez l'illusion d'être en bonne santé, venez à moi." »

Didier Sicard essaie d'attirer l'attention sur le fait que cette surconsommation de technologies médicales ne répond pas aux vrais besoins de la population, qui sont des besoins d'écoute, d'accompagnement, bien plus que d'IRM.

La dévalorisation des médecins généralistes

La spécialisation à outrance, le progrès technologique ont contribué à la dévalorisation progressive du métier de généraliste, un métier, précisément, où l'écoute du patient, son examen clinique étaient de la plus grande importance.

La crise qui a jeté cinquante mille médecins dans la rue le 10 mars 2002 a révélé un formidable ras-le-bol. Il n'est pas facile, à l'heure où la technicité médicale a fait des progrès considérables, de continuer à exercer une médecine « aux mains nues ». Les généralistes sont exaspérés : ils travaillent trop, on ne s'adresse plus à eux que comme à des prestataires de services.

Je lis dans *Le Monde* ce témoignage d'un médecin généraliste qui exerce dans une commune semi-rurale de dix mille habitants. Il a choisi cette profession « par idéalisme et par humanisme », et il regrette que de plus en plus de personnes « consomment de la médecine et nous traitent comme un service[21] ».

Dans le même numéro, *Le Monde* publie le témoignage de quelques généralistes de la Mayenne, un des départements où la densité médicale est la plus basse en France. L'un d'eux travaille dix à onze heures en moyenne par jour, sans compter les gardes de nuit et de week-end. Il trouve normal de revaloriser les consulta-

---

21. *Le Monde*, 22 janvier 2002, article de Sandrine Blanchard.

tions et voudrait travailler moins, mais il ne trouve pas de remplaçant.

Un autre généraliste affirme qu'en 2005, en tenant compte des départs à la retraite, il manquera soixante médecins dans le département où il exerce. Pendant treize ans, sa femme et ses enfants étaient couchés quand il rentrait le soir. En 2001, il a fait sa « révolution culturelle » en diminuant son activité de dix actes par jour. Lui aussi prône une revalorisation des honoraires pour éviter la course à l'acte, et permettre aux médecins de travailler moins et mieux. « On est dans un système qui nous porte à bâcler notre travail, alors que la demande de soins est de plus en plus importante. »

Au temps de travail qui s'allonge, aux gardes à assurer dans un département où « SOS médecins » n'existe pas, les généralistes de la Mayenne ajoutent les charges toujours plus élevées, la paperasserie qui augmente, la dimension de plus en plus sociale de leur travail. Ils sont en colère parce que, « depuis le plan Juppé, on leur tape dessus en disant qu'ils bossent mal et qu'ils coûtent trop cher. On leur reproche l'augmentation des dépenses de santé, mais on oublie de dire que, depuis dix ans, il y a de plus en plus de cancers, de stress, de déprimes, de problèmes de drogue, sans compter le vieillissement de la population[22] ». Ces médecins rêvent d'un débat politique de fond et d'un référendum sur le système de santé.

Bernard Kouchner évoque avec une certaine tendresse la situation de ces « soutiers de la médecine » qui demandent enfin à être mieux payés et à travailler moins, dans une société où « le temps de travail devient un repère[23] ». Car il s'agit bien de cela : l'idéal est

22. *Le Monde*, 11 mars 2002, propos recueillis par Sandrine Blanchard.
23. Bernard Kouchner, *op. cit.*, p. 115.

devenu de moins travailler. Ce qui fait la beauté de ce métier de médecin de ville ou de campagne, « métier sublime », « plus sociologique et psychologique que médical », n'est pas reconnu à sa juste valeur. Les jeunes médecins ne veulent d'ailleurs plus de cette existence : « Nous avons sacrifié notre vie de famille, mobilisé des centaines de week-ends et réveillé nos femmes et nos enfants des dizaines de fois en pleine nuit pour répondre à une urgence, mais aujourd'hui, c'est fini[24]. »

Comment s'étonner alors que les cabinets médicaux soient sur répondeur ou que les services de garde soient fermés ? En province, les médecins sur le départ ont de plus en plus de mal à vendre leur cabinet. Les zones rurales perdent leurs généralistes au profit des villes qui offrent une meilleure qualité de vie, et surtout des infrastructures médicales pour les gardes de nuit et de week-end.

Des soignants vulnérables

Quand notre société comprendra-t-elle que nos soignants sont vulnérables, et que nous devons prendre soin d'eux ? Le mot d'ordre célèbre, scandé au gré des manifestations infirmières des dernières années, « Ni bonnes, ni nonnes, ni connes ! » exprime la lassitude et la colère d'une profession qui ne se sent pas reconnue ni valorisée.

Longtemps, l'infirmière a bénéficié d'une très grande considération. Son dévouement sans limites lui a valu la reconnaissance des malades et des familles. Mais cette reconnaissance-là, la profession n'en veut plus. Car elle la cantonne dans une image trop idéalisée,

24. *Le Figaro*, 25 janvier 2002, article de Laurence de Charrette.

une image qui n'a rien d'humain, finalement. La barre est trop haute.

L'infirmière d'aujourd'hui demande autre chose : la reconnaissance de son humanité, donc de sa vulnérabilité. Elle n'est pas cette sainte, corvéable à merci, qui renonce à toute vie personnelle. Elle demande qu'on lui reconnaisse le droit d'être épuisée, de souffrir, d'avoir des limites quand la charge de travail est trop lourde et qu'elle est exposée à la souffrance et à la mort de ses patients. Elle demande à travailler dans des conditions qui respectent l'être humain qu'elle est, et qui tiennent compte de la difficulté et de l'ingratitude de sa tâche. Elle aimerait qu'on l'aide, elle aussi, qu'on la soutienne, qu'on lui manifeste un peu de compassion.

Cette absence de prise en compte de la dimension humaine, vulnérable, des soignants est en grande partie responsable de la désertion de la profession. Il manque aujourd'hui cent mille infirmières sur tout le territoire, et les statistiques disent que la durée moyenne de la vie professionnelle d'une infirmière est de dix ans !

Le danger de cette pénurie est que l'on recrute depuis quelques années des jeunes dont la véritable motivation n'est pas de prendre soin de l'autre en souffrance, mais de s'assurer une sécurité d'emploi. Ils n'ont pas une conscience suffisante de la difficulté et de la responsabilité auxquelles ils seront confrontés.

Aucune autre profession n'impose une telle proximité quotidienne avec le corps souffrant de l'autre ! Aucune autre profession ne doit faire face à une telle responsabilité : prendre soin d'un être humain souvent totalement dépendant, qui confie sa vie entre vos mains. Il faut être constamment présent, répondre à chaque appel. Cette dépendance réciproque, car elle lie le malade à l'infirmière et l'infirmière au malade, caractérise le travail des soignants. Ce sont là l'originalité et la grandeur de ce métier.

Pour répondre à cette confiance des malades, cet abandon de leur part, il faut plus qu'une formation. Il faut en avoir envie.

Les infirmières ont beaucoup de mal à préserver et à faire reconnaître leur rôle. Leur métier a évolué. Il contient désormais une part importante de technique médicale. Concilier la compétence technique et l'humanité des soins n'est pas chose facile. Il est plus aisé de se cantonner à son rôle de technicienne, par ailleurs valorisé, que de s'impliquer dans la relation avec le malade et sa souffrance. Mais entre un maternage épuisant et cette façon mécanique et froide de faire les soins, n'y a-t-il pas un juste milieu ? Et qui aidera ou accompagnera le soignant dans cette recherche ?

L'épuisement des infirmières, leur désertion, vient presque toujours du décalage entre l'idée qu'elles se sont faite de leur métier et la réalité d'une tâche qu'elles jugent trop ingrate, parce qu'elles ne peuvent épanouir leur désir d'humanité.

Anne Perraut Soliveres, infirmière de nuit pendant de longues années, cadre et praticien chercheur, a obtenu le prix du *Monde* de la recherche universitaire pour un ouvrage particulièrement éclairant sur le travail de nuit des infirmières[25].

Pour elle qui a assisté à la lente dégradation du système de soins, ce n'est ni la motivation très forte des soignants ni leur disponibilité personnelle qui est en cause, mais le rationalisme qui a présidé à la réorganisation des soins.

Elle pose un regard lucide sur ses collègues. Ce sont les infirmières elles-mêmes, affirme-t-elle, qui portent la responsabilité de la dérive technocratique de leur

25. Anne Perraut Soliveres, *Infirmières, le savoir de la nuit*, PUF, Paris, 2001.

métier. En cherchant à faire reconnaître leur profession, à préciser les limites de leur charge, « elles ont laissé passer l'occasion de faire savoir ce par quoi elles sont radicalement différentes des médecins, par exemple, et par là même de faire valoir ce qui les porte et leur permet de durer : un savoir-être avec la souffrance[26] ».

En cherchant à définir leur rôle propre, à le légitimer au travers d'outils sophistiqués, de mises en protocoles, en procédures, et autre système de « traçabilité », les infirmières se sont éloignées d'elles-mêmes. Ces outils d'évaluation, de transmission, de justification les privent en effet de l'essentiel de leur travail, la part humaine et subjective, la maturation et la réflexion indispensables pour faire face à la souffrance et à la misère humaine concentrées dans les hôpitaux. Aujourd'hui, elles sont noyées sous une avalanche de documents à remplir et ne sont pas satisfaites pour autant. Car ces tâches leur prennent du temps, les coupent des patients, les empêchent de se rencontrer au sein de l'équipe.

Si les soignants sont épuisés, c'est parce qu'ils sont dans une contradiction douloureuse. L'altruisme, le don de soi ne sont pas compatibles avec la technicisation des soins. Ils se sentent maintenant coupables de ne pas être à la hauteur de leur propre idéal. Ils sont aux prises avec un conflit intérieur, un compromis inexprimable entre une certaine idée de soi inatteignable et la réalité, avec son cortège de débordements et de situations non maîtrisables. Il ne faut pas oublier que l'essentiel de la motivation à soigner s'appuie sur le don de soi. Or ce don de soi est impossible à quantifier. On peut passer beaucoup de temps avec quelqu'un sans que cela lui apporte l'apaisement souhaité. On peut au contraire rassurer, tranquilliser sans donner beaucoup de temps.

26. *Ibid.*, p. 123.

Aucun technocrate ne pourra jamais concevoir un outil de mesure adapté.

Dans *Infirmières, le savoir de la nuit*, Anne Perraut Soliveres donne l'exemple d'une infirmière en train de faire un shampooing à un patient en réanimation. Ce soin n'entre pas dans l'évaluation médicale. Pourtant, du point de vue du patient, de son confort, de son bien-être, il compte énormément. Or, parce qu'il ne se situe pas dans le champ médical et que son efficacité ne peut donc être évaluée, bien qu'il contribue à la santé du malade, il est sous-estimé par les infirmières elles-mêmes. La dimension affective du soin, de loin la plus tonique pour un patient, est alors purement et simplement niée. En agissant ainsi, l'infirmière se frustre elle-même. Car elle sait bien que c'est à travers des gestes comme celui-là qu'elle peut créer l'intimité relationnelle avec son patient, cette intimité dont elle a la nostalgie. Dans ces conditions, il lui est impossible de construire l'estime de soi dont elle a besoin.

Quelques ethnologues se sont intéressés au malaise infirmier. Dans *Une ethnologue à l'hôpital*[27], Anne Vega essaie d'en cerner les fondements. Immergée pendant plusieurs mois dans le service de neurologie d'un grand hôpital parisien, elle a observé et noté scrupuleusement les échanges, les attitudes des soignants, dans une sorte de journal de guerre. J'emploie à dessein cette expression, car son terrain d'étude s'apparentait bien à un front, avec d'incessants conflits, une agressivité permanente et tournante.

J'avoue avoir été abasourdie par son témoignage. Ayant travaillé dix ans dans deux services hospitaliers où régnait une bonne ambiance, je n'avais jamais pris la mesure du dysfonctionnement de certains services ni

27. Anne Vega, *op. cit.*

de l'atmosphère exécrable entretenue, semble-t-il, par les soignants eux-mêmes – dont les malades pâtissent, bien évidemment. Ainsi, au-delà des difficiles conditions de travail, ce qui a frappé Anne Vega, ce sont les répercussions des tensions qui règnent au sein des équipes soignantes, la culpabilité qu'elles engendrent parmi elles.

Les soignants sont confrontés, dans le soin, aux pires souffrances, aux pires dégradations, à des questions auxquelles, la plupart du temps, ils ne peuvent ni ne savent répondre, à des demandes souvent impossibles à satisfaire. Le sentiment de culpabilité qui en découle, ravivé chaque fois qu'un malade se plaint, se répand alors comme un poison dans le service. Dans une ambiance survoltée, bruyante, dans un climat de fatigue et de lassitude, circulent en permanence des « mauvaises paroles ». Au lieu de se soutenir mutuellement, de se tenir les coudes, pour faire face à la difficulté de leurs tâches, les soignants ne cessent de se dénigrer les uns les autres. Et quand ils ne s'accusent pas entre eux, ce sont les patients qu'ils jugent à l'emporte-pièce et traitent de « mauvais malades ». Ainsi Anne Vega a-t-elle assisté à une guerre sur plusieurs fronts.

Les infirmières s'en prennent aux médecins qui ne font que passer et ne les tiennent pas suffisamment informées. Au lieu de les traiter comme des partenaires, ils s'adressent à elles comme à des auxiliaires.

Les aides-soignantes reprochent aux infirmières de ne pas les aider dans leur « nursing » : le « sale boulot ». C'est ainsi qu'est qualifiée la tâche qui consiste à changer les malades, à les laver, à leur passer le bassin ou à les accompagner aux toilettes. « Souvent le week-end, quand un malade sonne sans qu'on puisse le voir, l'infirmière fait tout le trajet depuis sa salle de permanence pour venir nous dire que le malade a besoin d'aller aux toilettes. Résultat, nous, quand on arrive, il a pissé au lit et il faut changer tous les draps. C'est une absurdité. La plupart du temps, quand on est débordées, on doit demander aux infirmières de nous aider. Elles, elles restent assises à leur bureau, et nous on a de la merde jusqu'au cou[28] », se plaint une aide-soignante.

Les cadres administratifs, toujours en réunion et jamais sur le terrain, à côté des soignants, sont l'objet de critiques constantes :

« Même quand on manque de personnel, les surveillantes restent assises, peinardes, dans leur bureau, alors que nous, on se bat pour avoir du matériel, et qu'on est obligées de bricoler tous les jours. Les cadres ne mettent jamais les mains à la pâte, ça les salirait de nous aider aux nursings. » « Elles ne font que passer en coup de vent[29]. »

La guerre, enfin, fait rage entre les équipes du matin, de l'après-midi et de la nuit. Celle du matin, qui effectue l'essentiel des soins médicaux, accuse quotidiennement celle de l'après midi de ne jamais travailler assez.

« L'hôpital a un côté Clochemerle. On y cancane beaucoup. Le voisin, la voisine y semblent toujours mieux lotis et les jalousies vont bon train. Depuis onze ans que j'exerce, combien de fois ai-je vu une infirmière refuser de changer les draps d'un malade sous prétexte que c'était à l'équipe précédente de le faire[30] ? »

De même, les arrêts de travail sont mal acceptés, puisque les soignants en congés ne sont pas remplacés. Alors les rumeurs vont bon train, on raconte que les absents prétendent être malades pour prendre en fait des journées de congé.

Un conflit oppose également les anciennes et les jeunes infirmières.

28. *Ibid.*, p. 157.
29. *Ibid.*, p. 84.
30. *Ibid.*, p. 96.

« Le problème des jeunes infirmières, c'est qu'elles parlent des couches de leurs gosses, papotent davantage et se baladent dans les services, alors que, nous, on passait dix fois plus de temps auprès des malades et on continuait à parler de ceux qui nous tenaient à cœur hors de l'hôpital. [...] Elles, elles ne parlent plus que de leurs conditions de travail ! Elles sont toujours à se plaindre, à compter leurs jours[31]. »

Ainsi parle une infirmière qui appartient à la génération des années 1960-1970, quand l'infirmière était encore un peu « bonne sœur », travaillait sous l'œil autoritaire d'anciennes soignantes, de mandarins et de chefs du personnel, « dans une ambiance un peu militaire ». C'était l'époque où la vie professionnelle passait avant tout, avant la vie privée. Les infirmières, encore peu spécialisées, collaboraient avec les aides-soignantes dans les dernières salles communes[32] réputées pour leur bonne ambiance. De nombreuses professionnelles gardent de cette époque héroïque des souvenirs ambivalents mais souvent nostalgiques.

Aujourd'hui, les soignants sont divisés au sujet de leur rôle. Les « techniciens » sont accusés d'irresponsabilité parce qu'ils se tiennent trop à distance des malades, et les « relationnels » sont incriminés à l'inverse pour une trop grande proximité, surtout avec les « mauvais malades ».

« L'exercice infirmier consisterait soit à rester ambivalent par rapport à cette contradiction, soit à prendre parti pour un rôle relationnel ou technicien, ce qui reviendrait toujours à créer des dissensions avec les collègues qui n'ont pas fait les mêmes choix. Cependant, à trop déserter les chambres de malades, l'infirmière

---

31. *Ibid.*, p. 72.
32. Les salles communes ont été remplacées par les chambres à quatre, trois ou deux lits.

risque de se voir transformée en simple secrétaire (cantonnée dans les "paperasses") ou en "paresseuse" plus préoccupée par son propre bien-être que par celui du malade. Dans tous les cas de figure, elle est toujours accusée de "l'avoir abandonné quelque part"[33]. »

Le fait de travailler différemment ou à l'écart de ses collègues semble avoir des conséquences redoutables au sein des équipes. En faire trop est mal vu. Les infirmières « relationnelles » font souvent « bande à part » et sont alors taxées d'individualisme. Anne Vega donne l'exemple d'un patient atteint d'une sclérose en plaques et très demandeur auprès des soignants.

« En persistant à revendiquer des soins relationnels et techniques importants, M. S. fut […] de moins en moins jugé comme une personne fragilisée par la maladie, dépendante du personnel et recherchant un terrain d'entente. Il devint une personne "au caractère impossible". […] Ainsi, au cours des mois suivants cumulat-il à lui seul les caractéristiques attribuées aux "mauvais malades". Dans l'équipe de jour, la plupart des soins infirmiers (changement de sa canule respiratoire, aide à la respiration, à l'alimentation, à l'élimination…) furent désormais implicitement jugés "secondaires", ce qui renforça les angoisses du patient. M. S., de peur que ces soins ne soient pas effectués, ne cessa plus de rappeler aux infirmières qu'elles devaient lui changer sa canule chaque mardi. Il commença aussi à se plaindre du bruit la nuit et de fortes douleurs. Comme il menaça d'en parler à la surveillante ou aux médecins, cela confirma aux yeux des infirmières son "mauvais caractère". Ce fut alors la fin de la prise en charge de M. S. par son infirmière, qui le désinvestit. Une aide-soignante le prit en pitié. "À sa place je me mettrais une balle dans la tête", a-t-elle dit. Mais

33. Anne Vega, *op. cit.*, p. 95.

quelques semaines plus tard, elle abdiqua à son tour. La toilette du malade fut alors confiée à une aide-soignante en stage.

« Se sentant de plus en plus abandonné, M. S. sombra dans la maladie. Il décida de ne plus parler à personne "pour embêter le personnel". Un matin, on oublia de le faire manger. [...] Parallèlement, des rumeurs concernant son départ commencèrent à circuler. Son mal-être grandissant fut abordé au staff sans susciter de réponse. Dès lors, personne n'évoqua plus son cas, jusqu'au staff du mardi suivant où son départ fut officiellement annoncé, au plus grand soulagement de l'équipe. [...] Le mois suivant, à son retour, le malade me parut considérablement affaibli (je n'arrivais plus à lui parler et j'évitais même d'aller le voir dans sa chambre, tant il semblait souffrir et se morfondre). L'équipe de garde souligna que M. S. voulait mourir[34]. »

Anne Vega explique que l'infirmière de ce patient estimait qu'il jouait la comédie. Au staff, les infirmières discutaient pour savoir qui « se dévouerait » pour lui faire ses soins. Finalement, c'est une nouvelle recrue qui parvint à prendre soin de lui et à remettre en cause les opinions de l'équipe à son sujet. « Il a été présenté comme chiant, alors que moi je le trouve plutôt sympa. J'ai réussi à le soigner et à le calmer. Il m'a dit qu'il m'aimait bien[35]. »

Toutes les infirmières ne trouvent pas les malades « chiants ». Louise, elle, les trouve « très attachants ». Elle estime qu'ils en savent plus qu'elle sur leur pathologie. « L'important, c'est de leur parler et de prendre son temps. Beaucoup de jeunes infirmières vont trop vite. Ce qui est le plus important pour moi, c'est le

34. *Ibid.*, p. 180.
35. *Ibid.*

contact avec les malades, le reste est secondaire. Ils me disent : heureusement que vous êtes là[36] ! » Anne Vega constate que Louise préfère discuter avec les malades qu'avec l'équipe. Et c'est malheureusement ce qu'on lui reproche.

Un petit nombre d'infirmières « relationnelles » parviennent à remettre en cause les discours négatifs des équipes à propos des malades ; leur prise en charge différenciée devient pour elles « un moyen de se valoriser, voire d'entrer en compétition avec les autres soignantes qui n'ont pas su bien prendre un patient ». Mais ces soignants-là risquent l'exclusion. « Les mises au ban, parfois extrêmement sévères, des infirmières relationnelles, ont des fonctions très précises : elles visent à tuer dans l'œuf toutes les velléités d'identification, de compassion ou d'empathie à l'égard du malade, car en entretenant une relation de solidarité avec ce dernier, les relationnelles l'érigent en acteur de soins à part entière. Et ce faisant, elles mettent en évidence son abandon par les autres soignantes[37]. »

Je ne peux m'empêcher de penser, en lisant Anne Vega, à ce qu'a écrit Primo Levi sur la déshumanisation des camps de la mort. Il a su trouver les mots pour dire la difficulté de rester humain dans un univers où les autres ont le pouvoir de modifier le regard que l'on porte sur soi-même et de faire renoncer à l'humanité qui est en soi. Il faut alors beaucoup de courage pour résister et rester humain.

Pourquoi cependant, se demande Anne Vega, participer à ces réseaux d'accusations réciproques dont tout le monde semble être victime ?

36. Anne Vega, *op. cit.*, p. 185.
37. *Ibid.*, p. 195.

Cette tradition de commérage, de cancans, que l'on retrouve dans tous les services semble jouer un rôle d'exutoire. « Comme les plaisanteries dans le local réservé aux soignantes, les potins permettent au personnel de reprendre son souffle, de partager quotidiennement intimité et confidences, à l'abri des malades[38]. » Les temps de pause jouent ce rôle de soupape. Ils semblent ne jamais être un temps de réflexion sur la situation des malades, sur la façon dont ils perçoivent leur maladie, dont ils vont s'en sortir. On parle de tout autre chose, de vacances, de nourriture, d'histoires d'accouchement, de conflits avec les belles-mères ou les conjoints, de l'éducation des enfants. Autant de sujets qui font l'objet d'un consensus. Et c'est sans doute leur fonction, de rassembler, le temps d'une tasse de café, des soignants en mal d'identité.

Les procès de voisinage, la jalousie qui travaillent les infirmières seraient-ils le seul moyen dont elles disposent pour se rassurer dans leur identité de soignantes ?

« Une grande partie des émotions suscitées par les difficultés collectives à assumer la gestion quotidienne des services semble ainsi transformée en discours du malheur [...] et plus encore en mauvaises paroles entre blouses blanches. [...] Il faut bien personnifier les maux, utiliser des médiations, donner un sens à la tragicomédie de son travail et au sentiment de culpabilité de ne pouvoir jamais être une soignante irréprochable. Comme si les épisodes répétitifs où chacun glorifie la pénibilité de sa tâche tout en rejetant avec véhémence la faute sur "les autres" – les "mauvais soignants" et "les mauvais malades" – étaient encore d'autres soupapes de sécurité, instaurées à partir du désordre apparent des services[39]. »

38. *Ibid.*, p. 98.
39. *Ibid.*, p. 117.

Contre quels maux les infirmières se protègent-elles ?

La vulnérabilité humaine, donnée à voir quotidiennement, à travers les souffrances de leurs malades, semble représenter le mal suprême. La pire épreuve, pour les soignants, est de se retrouver un jour hospitalisés. Il semble donc que ce soit contre cette épreuve potentielle qu'ils édifient de telles défenses inconscientes. Ils tentent de construire leur identité en évacuant de leur perception ce qu'ils ne peuvent assumer, leur vulnérabilité d'humains, leur sentiment d'impuissance, leur finitude, leur propre mortalité. Et lorsque le malade va mourir, ils se plaignent qu'il « dure trop longtemps », qu'il « bloque un lit » ou qu'il « augmente la charge de travail ». On espère alors qu'il ne va pas « décéder maintenant », que la responsabilité va échoir à une autre équipe.

J'avais été invitée à une émission de radio pour parler de la mort à l'hôpital. Parmi les auditeurs qui avaient pris la parole, je me souviens d'une infirmière musulmane qui racontait combien le comportement de ses collègues la choquait : « Quand on a un patient qui va mourir, les filles disent : "Pourvu que ce ne soit pas avec nous !" Et quand on approche de l'heure de changement d'équipe, elles accélèrent la perf, pour qu'il meure avec l'équipe suivante. Quand l'équipe suivante arrive, la première chose qu'elles font, c'est de ralentir la perf, pour qu'il ne meure pas avec elles ! On n'a pas le droit d'intervenir comme ça sur le moment de la mort ! »

Dans ces conditions, on comprend que la vie professionnelle d'une infirmière ne dépasse pas dix ans. Celles qui le peuvent font l'école des cadres. Pour échapper au quotidien du soin. « Je suis devenue cadre parce que j'en avais marre des conditions de travail horribles, comme ces escarres avec des asticots dedans, soulever les malades, distribuer les repas. »

« Cependant, devenues cadres, elles expriment le regret de ne plus être proches des malades et des infirmières. Certaines disent même que cela a été l'erreur de leur vie. Certes, elles sont soulagées du poids quotidien du soin, mais celui-ci est remplacé par de nouvelles lassitudes, celles de devoir gérer les conflits au sein d'équipes qu'elles ne contrôlent pas et qui leur prennent « un temps fou ». Parfois, inconsciemment coupables de ne plus être au lit du malade, elles se montrent très critiques à l'égard des nouvelles générations d'infirmières qu'elles jugent égoïstes, individualistes, contestataires, revendicatives. Tout cela au détriment de l'esprit de groupe et du dévouement qui caractérisait jusque-là le travail de l'infirmière[40]. »

J'ai tenu à rapporter ici le témoignage d'Anne Vega parce qu'il me semble sain et nécessaire de casser l'image idéale des « bons soignants » tournés vers le malade imposée par les médias. Cette idéalisation est fausse. Elle isole les soignants. Elle nous empêche de prendre nos responsabilités à leur égard, de les confronter à ce qu'il y a d'inacceptable dans leur attitude quand c'est nécessaire, de les comprendre et de les soutenir par ailleurs.

Il y aurait moins de violence larvée dans les hôpitaux si l'on reconnaissait que les blouses blanches sont fragiles, et souvent ennemies de nos souffrances. Si, malade, on se préparait à rencontrer des humains vulnérables, peut-être que les relations entre soignants et soignés deviendraient plus humaines !

« L'hôpital est le lieu de toutes nos contradictions et de toutes nos irrationalités. Ce n'est pas un lieu de vie, alors que l'on y passe les moments les plus essentiels de l'existence (naissance, maladie, accidents, mort). Comme dans les contes de fées, il sort parfois des

40. *Ibid.*, p. 74.

vipères et des crapauds de la bouche des femmes vêtues de blanc[41]... »

Le regard des élèves infirmières

Pour la majorité des élèves infirmières, les premiers stages à l'hôpital sont un véritable rite d'initiation. Grâce à leur position de témoin, à leur regard neuf, les apprenties blouses blanches questionnent sans complaisance les pratiques de leurs aînées.

Amélie est en troisième année dans un institut de formation en soins infirmiers (IFSI). Elle fait régulièrement des stages en milieu hospitalier, mais le premier qu'elle a suivi a été un choc pour elle, qui arrivait avec une envie de soigner toute neuve. Les soignants qui travaillaient là depuis plusieurs années étaient préoccupés par des choses qui lui paraissaient futiles, la date de leurs prochains congés par exemple. Elle s'attendait à ce qu'on lui apprenne à faire des soins, des piqûres, alors qu'on profitait de sa présence pour se décharger sur elle des tâches rebutantes, les toilettes, les nursings. Elle a donc fait des toilettes. Quand l'infirmière passait, elle lui donnait des indications très techniques sur la façon de tenir le gant de toilette, de mettre la serviette à tel endroit et pas à un autre, mais aucune sur la manière de passer la main dans les cheveux du patient, de lui parler, de lui sourire. Elle comprenait que cet aspect relationnel de son travail compterait beaucoup moins dans sa note de fin de stage que le respect scrupuleux des règles d'hygiène pendant la toilette.

Elle a retrouvé cette place prédominante de la technique en deuxième année, quand elle a enfin eu accès

41. *Ibid.*, p. 201.

aux soins. Elle a appris à poser une perfusion, à faire des prélèvements. Mais elle a aussi senti l'angoisse du patient, de l'enfant qui se rétracte parce qu'il n'a plus de veines et que ça va lui faire mal. Personne ne semblait prendre en compte ce que vit le patient, et personne ne l'aidait, elle, l'élève infirmière, à intégrer cette dimension du soin.

« Franchement, les élèves qui arrivent au bout de leur diplôme en ayant la même foi qu'au début dans leur métier, dans la prise en charge globale du patient, qui ont autant envie de donner et de recevoir, il n'y en a pas beaucoup. »

Il y a donc un décalage entre ce que les élèves infirmières croient trouver dans leur profession et la réalité, qui engendre une énorme déception.

« Comment être mature dans nos actes, comment être responsable ? Car nous avons une énorme responsabilité ! Notre formation est tellement scolaire ! On ne nous apprend pas à penser, à nous poser des questions, à réfléchir à ce qu'on fait et pourquoi on le fait. Certains formateurs essaient de nous responsabiliser. Mais le cadre très strict de l'enseignement nous empêche d'avoir l'espace dont on a besoin. C'est un régime très militaire. »

Amélie savait, en choisissant sa profession, qu'elle serait inévitablement confrontée à des tâches et à des moments ingrats. Mais elle est consciente des valeurs qui la portent à prendre soin des plus vulnérables : l'attention, le souci de l'autre. C'est pourquoi ce qu'elle observe lors de ses stages la choque.

« La façon dont on donne le petit déjeuner aux personnes âgées me choque. On met la personne au fauteuil, avec une grande serviette autour du cou, comme si c'était un enfant. On verse le café au lait, et comme on n'a pas le temps de lui mettre la biscotte beurrée et recouverte de confiture, par petits morceaux, dans la bouche, on la met dans le café et on écrase le tout. On se retrouve avec des bouts de biscottes, le beurre fondu en îlots et des bouts de confiture qui flottent à la surface du bol. Une fois, alors que je protestais, on m'a répondu que, dans l'estomac, tout ça se mélangeait ! Ceux qui ont la chance d'aller à la salle à manger reviennent souvent avec les mains sales et le tour de la bouche tout poisseux. La plupart du temps, on les laisse comme ça ! Personne ne leur essuie la bouche ni les mains. Quand je l'ai fait spontanément, on m'a dit : "Tu ne vas pas commencer à faire ça ! On ne va pas s'en sortir !" »

Amélie a remarqué que, lorsque les personnes arrivent en fin de vie, l'équipe, bien qu'aussi restreinte, devient plus attentive. Les soignants rentrent dans la chambre du malade silencieusement, marquent leur présence par des gestes tendres, des mots gentils : « Ça va aller, ma chérie ? On va faire la toilette calmement. »

« N'est-ce pas triste que ce soit seulement à ce moment-là que le soignant retrouve tout ce qu'est le soin ? En tant qu'étudiante, c'est dans ces instants que j'ai appris du métier tout ce dont j'avais besoin. Je m'en suis gavée pour repartir vers quelque chose de plus dur. C'est en habillant quelqu'un qui était mort que j'ai retrouvé la dimension du soin que j'avais du mal à percevoir avec la personne vivante. Ce sont les moments les plus beaux que j'ai pu vivre. »

Amélie se souvient aussi d'une vieille femme en fin de vie qui réclamait qu'on la laisse tranquille. « On lui a fait une fibroscopie bronchique, un examen désagréable, douloureux. Elle a hurlé pendant tout l'examen, on l'a forcée à ouvrir la bouche, alors que l'examen était inutile. »

Il lui est arrivé, elle aussi, d'avoir une attitude inacceptable. Elle a l'honnêteté de le reconnaître. « J'en ai honte. C'était une patiente qui sonnait sans arrêt. Un matin, je l'ai mise au fauteuil, je lui ai approché son téléphone et sa télécommande, mais pas sa sonnette. Je lui ai dit : "Tu vas me foutre la paix, ce matin." C'était une chambre à deux lits, je savais que, si c'était grave, sa voisine pouvait sonner pour elle. »

Comme elle me semble encore se sentir coupable de son geste, je lui rappelle que le fait d'être malade ne donne pas le droit de tyranniser les soignants. Sonner toutes les cinq minutes, pour un oui ou pour un non, est une forme de tyrannie. C'est un manque de conscience et de respect à l'égard de l'infirmière que l'on sait débordée. Une infirmière doit confronter son patient à cette réalité, et si celui-ci ne peut en tenir compte, il faut lui imposer des limites. Expliquer pourquoi on supprime la sonnette, par exemple. Si on accompagne le geste par la parole, ce type de restriction n'est pas inhumain, à mon sens. Il doit y avoir une réciprocité du respect.

Les propos d'Amélie montrent bien ce qui manque dans la formation des futurs soignants : une réflexion sur le sens et les limites du soin. Il est pourtant difficile de prendre du recul, de réfléchir à la meilleure attitude à avoir avec un patient, de ne pas tomber dans le systématisme, de se dire : « Je prends cette décision parce que je suis en accord avec moi-même. » Or on n'apprend pas aux futurs soignants à avoir ce discernement.

Une étudiante de Fréjus m'a écrit pour me faire part de ses impressions au cours de sa formation. En première année, elle a effectué cinq stages dans différents services. Durant chacun de ces stages, elle a côtoyé la mort de près, sans que jamais personne la soutienne pour affronter ces moments. Elle se souvient qu'un malade est mort à l'instant où elle lui prenait le pouls. Ne sachant ni quoi dire ni quoi faire ni quoi penser, elle a cherché du réconfort auprès des infirmières. En vain !

Les aides-soignantes lui ont demandé de les aider pour la toilette mortuaire. Elle n'avait jamais vu un mort. Lorsqu'elle a vu ses collègues enfoncer du coton dans les orifices, elle a demandé à sortir, car elle ne se sentait pas capable d'en voir plus. Elle est allée aux toilettes où elle est restée longtemps prostrée. Rentrée chez elle, dans un appartement vide, elle s'est mise à pleurer. Elle n'a parlé à personne de ce qui lui était arrivé. Personne ne s'est inquiété de la manière dont elle avait vécu l'événement. Pas plus dans le service qu'à l'école, lorsqu'elle a fait son compte rendu de stage. Par la suite, elle a évité de s'attacher aux patients, pour ne pas souffrir.

Mais au début de sa troisième année de formation, elle a commencé un stage de quatre semaines en réanimation. Immergée dans ce service cinq jours par semaine, huit heures par jour, elle n'a pas pu éviter cette confrontation avec la mort. Cette fois-ci pourtant, ce fut très différent. « Les gestes de tendresse que j'avais perdus en fin de première année, je les ai retrouvés tout naturellement, sans réfléchir. J'ai réappris à communiquer, à caresser une personne consciente ou inconsciente. Pour mon évaluation, j'ai même choisi la toilette d'une personne en fin de vie, ce que je n'aurais jamais pu faire avant. Pendant ce stage, j'ai vécu trois décès de patients que je voyais tous les jours, mais cette fois-ci j'ai eu le sentiment d'avoir accompli ma tâche, d'avoir fait tout ce qui restait à faire alors qu'il n'y avait plus rien à faire ! »

Cette jeune fille se demande pourquoi on ne parle pas de la mort aux futurs étudiants dès leur entrée à l'école, et même au moment du concours d'admission, car c'est une réalité à laquelle ils seront forcément confrontés. Pourquoi attendre la fin de la première année ? « On nous lâche en stage et on doit se débrouiller seuls avec ce qui nous arrive. »

Annette, élève infirmière de troisième année, me raconte son arrivée dans un service de gériatrie. Elle est choquée par la mauvaise humeur, la lassitude des soignants. Une aide-soignante qu'elle doit accompagner dans les toilettes des malades lui conseille « de ne pas trop en faire ». Elle l'envoie laver une pauvre vieille qui est devenue l'ennemie n° 1 du service, parce qu'elle est « méchante et acariâtre ». On l'a reléguée dans une chambre, seule au fond du service, et personne ne lui adresse la parole.

Au début, Annette reproduit sans même en avoir conscience le comportement de l'équipe. Elle s'adresse à la malade sur un ton autoritaire et infantilisant. Quand celle-ci sonne, elle ne répond pas, malgré les appels incessants. Et puis un jour, elle surprend la vieille dame en larmes, serrant dans ses mains la photo d'une petite fille, sa petite-fille. Annette s'assoit sur le bord du lit, regarde la photo, et la vieille dame réputée acariâtre devient à cet instant une grand-mère comme les autres. Elle prend figure humaine. Annette avoue avoir totalement changé d'attitude à partir de ce jour-là.

Aller vers l'autre ne va pas de soi

Au cours de mon enquête, j'ai pu identifier un faisceau de « bonnes raisons » au mépris de l'humain en milieu hospitalier : l'évolution d'une médecine qui confond l'homme biologique avec la personne, des décisions politiques qui ont généré un système dans lequel l'humain est sacrifié sur l'autel de la logique comptable, la pénurie de médecins et d'infirmières, la réduction du temps de travail, des conditions de travail qui engendrent le sentiment d'être méprisé, le manque de reconnaissance.

Dans un monde qui valorise l'efficacité technique, la rentabilité, les loisirs, le chacun pour soi, il devient de plus en plus difficile de défendre les valeurs du soin, le don de soi, la disponibilité à celui qui souffre. Ceux qui tentent encore de les préserver souffrent du peu de reconnaissance de leur engagement. Ils sont soumis à une tension forte, une contradiction permanente entre les nouvelles normes de la société et leurs valeurs personnelles intimes. Ils s'épuisent.

Le syndrome d'épuisement professionnel, que les Anglo-Saxons ont été les premiers à identifier sous le nom de *burn-out syndrome* et que les Canadiens nomment « brûlure », désigne l'ensemble des symptômes dont souffrent les professionnels de santé, confrontés à la misère d'autrui, et « consumés » par leur travail.

Depuis plusieurs années, Pierre Canouï[42] travaille sur la souffrance des soignants. Il est convaincu que la déshumanisation de la relation soignant-soigné, médecin-malade s'enracine dans un épuisement émotionnel et physique, et dans la baisse d'estime de soi chez ces professionnels qui perdent le sens de ce qu'ils font. « Le las, l'épuisé ne peut plus possibiliser », écrit Gilles Deleuze[43].

« Le burn-out, c'est la conséquence de l'accumulation d'événements face auxquels l'individu n'arrive plus à faire face. L'équilibre entre soi et l'environnement est rompu. Ces événements sont souvent mineurs et répétés, émotionnellement difficiles à vivre. C'est leur accumulation qui entraîne un stress chronique et finalement un burn-out[44]. »

42. Pierre Canouï, pédopsychiatre de liaison à l'hôpital Necker.
43. Gilles Deleuze, *L'Épuisé*, Minuit, Paris, 1993, p. 57.
44. Entretien avec Pierre Canouï, 15 janvier 2002.

Les signes en sont souvent flous, ils constituent une sorte de nébuleuse. Le soignant se plaint de fatigue, de migraines, de troubles du sommeil, il se montre irascible, peut pleurer à tout bout de champ ou faire preuve de rigidité, d'inefficacité. Il se sent vidé intérieurement, il a des difficultés à entrer en relation avec les autres. Pour se protéger, il a tendance à mettre une distance entre ses patients et lui. Cela s'effectue de manière progressive, sournoise et, bien souvent, sans qu'il s'en rende compte. Il arrive un moment où l'autre souffrant n'est plus qu'un numéro de chambre, ou un organe malade.

Regardons du côté des institutions qui accueillent des personnes âgées. Comment de jeunes soignantes, issues d'une culture qui évacue l'idée de la mort, privées des repères qui permettaient de transcender cette fin inévitable, peuvent-elles vivre au quotidien cette confrontation avec la vieillesse, la dégradation des corps et des esprits, la fragilité humaine des fins de vie ? N'y a-t-il pas quelque chose de terrifiant à voir chez les autres le reflet de ce qu'elles seront un jour ? On comprend l'angoisse qui sourd parmi elles et la quasi-obligation dans laquelle elles se trouvent de se protéger, au risque d'y perdre une part de leur humanité.

Il faut se représenter ce que vit une jeune fille qui se trouve en position parentale vis-à-vis d'une personne âgée dépendante qui pourrait être son père, sa mère, un grand-parent. Si cette jeune fille a entretenu des relations harmonieuses et aimantes avec ses parents, elle pourra sans doute manifester de l'attention, voire de la tendresse à travers les soins. Mais si elle n'a pas résolu d'anciens conflits, elle risque d'être inconsciemment tentée de régler ces contentieux à travers des réactions agressives envers les vieillards dont elle a la charge. Cette perte d'humanité va engendrer une perte d'estime de soi, une culpabilité, un doute sur le sens de son travail. Elle sera « brûlée ». On ne s'étonnera pas alors qu'elle n'ait plus envie de soigner, qu'elle soit tentée de fuir, de s'absenter, de se mettre en congé maladie ou de prendre des vacances.

Regardons du côté des médecins et des soignants qui travaillent dans les services des urgences. Cette façon d'être en permanence sur le pont, de courir d'un malade à l'autre, de passer des heures au téléphone pour obtenir un lit crée des dépressions à la chaîne. Comme me l'a confirmé un urgentiste, la plupart des soignants de son équipe sont sous antidépresseurs, et il arrive que certains se suicident.

On sent combien il est vital de prendre en compte cet aspect de la souffrance des soignants, si l'on veut humaniser les soins et diminuer l'absentéisme. Il est grand temps de « déconstruire le mythe du don gratuit de soi pour poser le problème en termes de justice et d'équité[45] ». Il faut reconnaître cette réalité de l'usure chez ceux dont la profession consiste à aider les autres. Aller vers l'autre ne va pas de soi.

« Quand on est dans l'angoisse, soit on est fusionnel, et c'est catastrophique, soit on est dans une telle distance qu'on en devient inhumain. L'angoisse est source d'inhumanité. C'est pourquoi aider les soignants à transformer leur angoisse, c'est les aider à être plus humains[46]. »

45. Pierre Canouï, *Approche de la souffrance des soignants par l'analyse du concept d'épuisement professionnel, le burn-out*, université René-Descartes, Paris-V, thèse de doctorat, 1995-1996, p. 160.
46. Entretien avec Pierre Canouï, 15 janvier 2002.

4

Irriguer l'humain

> *L'espace hospitalier est très souvent perçu davantage dans sa violence, son inhumanité, que dans son extrême sensibilité aux aspects les plus délicats, les plus intimes des vulnérabilités de l'extrême.*

EMMANUEL HIRSCH[1]

Partout, et depuis longtemps des hommes et des femmes s'opposent à la déshumanisation progressive de l'hôpital. Sadek Béloucif[2] a eu un jour, devant moi, cette réflexion : « On rencontre de temps en temps des pépites. » Il parlait de ces médecins ou de ces infirmières qui rayonnent d'humanité, ces résistants, qui relèvent un triple défi : préserver une certaine conception de l'humanité au sein du système de santé, donner

---

1. Emmanuel Hirsch, philosophe, créateur et directeur de l'Espace éthique AP-HP de Paris, « Un soin vécu et assumé autrement », communication au IXe Congrès national de la Société française de soins palliatifs et d'accompagnement (SFAP), Nice, juin 2003.
2. Sadek Béloucif est médecin réanimateur à Amiens et membre du Comité consultatif national d'éthique.

des repères dans une société qui en manque de plus en plus, et enfin transmettre à d'autres leur savoir-être humain. J'en ai rencontré quelques-uns.

Ces soignants qui résistent

Marie-Pierre est d'origine méditerranéenne, une grand-mère tunisienne, une grand-mère grecque. C'est une belle femme brune, chaleureuse. On sent qu'elle a grandi dans un monde dans lequel on ne craint pas de manifester physiquement son affection. On prend les gens qu'on aime dans ses bras, on manifeste son soutien en touchant l'épaule. Bref, la corporalité est présente dans les rencontres humaines. Est-ce ce bain culturel qui fait d'elle une infirmière désireuse d'être proche, spontanément tactile ?

Quand elle débute dans son métier d'infirmière, l'hypertechnicité des gestes qu'on lui apprend la met mal à l'aise. Elle se sent décalée. À l'école d'infirmières, elle s'était liée avec une étudiante indienne. Alors qu'elles étaient toutes les deux stagiaires dans un hôpital, elles ont vécu leur première expérience d'accompagnement d'une fin de vie. Marie-Pierre avait découvert une chambre dont l'accès semblait quasiment interdit. Au bout, il y avait un lit sur lequel se tenait une femme complètement recroquevillée, maigre comme un clou, atteinte d'un cancer de la face. Elle avait manifestement été reléguée au bout du service. Bien sûr, les aides-soignantes lui faisaient les soins le matin, avant l'arrivée des deux élèves infirmières, et le médecin passait en fin de journée. Mais on ne parlait pas de cette chambre, qui semblait interdite aux deux étudiantes. Révoltées contre la solitude de la malade, elles ont décidé de s'en occuper. Elle avait été danseuse étoile du ballet de Marseille.

Peu à peu, grâce à leur présence et à leurs soins, elle a repris la position assise, a recommencé à manger un peu, et le reste de l'équipe a trouvé le courage de revenir dans sa chambre.

Mon voisin, Alain, est hospitalisé dans un service de neurologie à l'hôpital de la Pitié-Salpêtrière. Il souffre d'une hémorragie cérébrale. Sa vie est en danger. Il gît, pour le moment, inconscient sur son lit, dans une salle qu'il partage avec trois autres grands malades. Les locaux sont sinistres. Sa femme est debout près de lui. Elle essaie de préserver un peu d'intimité au milieu du vacarme des allées et venues de soignants pressés. Sa présence si douce et si tendre tranche avec la brutalité du cadre. Ce contraste m'émeut.

Je sors de la salle pour la laisser seule avec son mari. Je vais m'asseoir dans le couloir, et j'observe le va-et-vient des infirmières, visage fermé, poussant leur chariot, parlant fort. Les portes claquent, on court. Quelques familles font les cent pas. Elles attendent qu'on ait fini la toilette ou les soins de cet être cher avec lequel elles vivaient jusqu'alors tranquillement et qui est maintenant suspendu entre la vie et la mort. Les épaules voûtées, le front soucieux, les uns et les autres attendent.

J'observe. Voilà qu'une aide-soignante, jeune, le visage ouvert, très souriante, sort d'une chambre. Si avenante que je la remarque. Elle s'approche d'une collègue visiblement débordée et anxieuse. Elle lui propose son aide, gentiment. Il y a quelque chose de léger et de tonique en elle. La voilà qui empoigne une paire de draps et qui suit sa collègue dans une chambre. Quelques minutes plus tard, elle sort, toujours le sourire aux lèvres. Elle fredonne quelque chose de gai, salue les gens qu'elle croise. Je me dis qu'elle a quelque chose d'un ange. La regarder me fait du bien. Quelques jours plus tard, je la croise à nouveau. Cette fois-ci, je lui demande si elle accepterait de prendre un café avec moi. Je lui explique que j'écris un livre sur l'humanité des soins. J'aimerais recueillir son témoignage, car, lui dis-je, son attitude, si différente de celle de ses collègues, m'a intriguée.

Anne, c'est son prénom, est maintenant en face de moi. Toujours ce beau sourire, ce visage attentif. Je songe que c'est décidément important, ce que manifeste un visage ! Elle aime son métier, me dit-elle. Elle le pratique depuis l'âge de dix-sept ans. Sa grand-mère était infirmière. Son désir de « donner un peu de soi » lui vient peut-être d'elle. Oui, elle aime donner. Mais elle se sent seule, entourée de femmes souvent enfoncées dans leurs difficultés personnelles, blasées, incapables de donner.

Jean-Claude et Dolorès sont bénévoles dans une maison de retraite et dans un service de gériatrie du Gard. Ils essaient de mettre un peu de lumière et de tendresse dans ces lieux qui manquent de chaleur humaine.

Ce qu'ils voient leur fait mal. Des vieillards abandonnés par tous, ballottés de chambre en chambre sans qu'on leur demande leur avis, parqués devant la télévision commune, rarement sortis dehors, même quand il fait beau. Ils pleurent souvent. Quelle solitude !

« Combien de ces personnes âgées nous demandent : "Embrasse-moi ! Embrasse-moi !" Ils ne reçoivent aucune tendresse. Je les garde deux ou trois minutes dans mes bras. Ils se serrent contre moi, ils ont tellement besoin de chaleur humaine », raconte Jean-Claude. Dolorès évoque une femme grabataire, pleine d'escarres, qui lui tendait sa joue, les yeux fermés. « Elle semblait goûter mes baisers, et une larme a coulé le long de sa joue. »

Jean-Claude et Dolorès donnent ce qu'ils peuvent : un peu d'affection. Même si c'est peu, ils savent que l'être humain a cette capacité de se souvenir d'un bon moment. Il y a une mémoire de la peau. C'est pourquoi le peu qu'on donne est précieux. Les gens très seuls, privés d'affection, savent faire leur miel du contact qu'on leur offre, même léger.

Comme tant d'autres bénévoles, Jean-Claude et Dolorès essaient aussi, quand ils le peuvent, de confirmer les soignants dans ce qu'ils font de bon. Ils savent que les soignants en gériatrie souffrent d'un manque de reconnaissance. C'est pour cela qu'ils les encouragent. Il faut presque survaloriser ce qu'ils font pour les malades, même les petites choses. « Ah oui, quand tu souris, c'est formidable ! » « Je t'ai vu, ce matin, tu as essuyé le visage de Mme X avec beaucoup de délicatesse, je suis sûre que cela lui a fait du bien ! » Les soignants puisent dans ces confirmations affectives. Les bénévoles, telles des petites lumières envoyées dans des lieux très sombres, peuvent jouer ce rôle d'encouragement auprès des professionnels.

Comment font-ils ?

Résister, selon Anne Perrault Soliveres, c'est cesser de se plaindre et commencer par valoriser soi-même la part affective du soin. Il faut que les infirmières se rendent compte que c'est d'abord d'elles-mêmes qu'elles doivent attendre une reconnaissance.

« La merde, la misère, ça n'est tolérable que si on les transcende par une réflexion sur l'humain », confie-t-elle à *Libération*[3]. « Pour s'y retrouver dans ce boulot, il faut être un peu conne, bonne et nonne. Il faut donner de soi, mais on ne peut le faire que si l'on y trouve un bénéfice. Non pas dans la technicité, mais

3. *Libération*, 2 janvier 2002.

dans ces choses non quantifiables, non rationnelles, ces choses informelles que sont l'échange, la présence, la qualité de l'attention. »

Résister, c'est aussi assumer de pouvoir avoir des états d'âme, des émotions. Et ce n'est pas facile dans un contexte institutionnel qui interdit toute manifestation affective aux soignants. Comment l'infirmière peut-elle rester humaine et sensible, garder une estime d'elle-même, quand on lui demande de verrouiller ses émotions ? Il faut casser cet idéal surhumain du soignant parfait, puisqu'il est un humain comme les autres.

Lorsqu'elle ne peut exprimer ses doutes, ses sentiments dans un monde qui les étouffe, l'infirmière finit par négliger l'importance de la compassion à l'égard du malade. La souffrance est synonyme de défaillance et d'incompétence chez le soignant. Au contraire, une souffrance entendue et accueillie au sein d'une équipe solidaire, reconnue comme une dimension naturelle de l'humain, pourrait être la voie d'accès vers une véritable compassion d'équipe qui rejaillit sur le patient.

La voie vers cette solidarité affective semble consister en ces moments de pause commune où les soignants se retrouvent, se rencontrent et discutent des problèmes rencontrés par chacun. Il ne s'agit pas là seulement de vider son sac – ça calme pour un temps, pourtant le mal est toujours là qui ronge – mais aussi de penser ensemble.

« J'ai pour ma part observé depuis longtemps que la tolérance s'épanouit particulièrement dans ces moments de communauté. Plus les soignants restent ensemble, moins ils manifestent d'impatience devant les demandes des patients, mieux ils supportent certaines attitudes problématiques, et mieux ils peuvent se libérer de certaines charges émotionnelles[4]. »

4. *Ibid.*, p. 36.

La situation des soignants pourrait être considérablement améliorée à condition qu'on leur permette de parler de ce qu'ils vivent, qu'on leur offre la même attention que celle qu'on leur demande d'accorder aux malades.

Résister, c'est enfin assumer le plaisir de soigner. Un plaisir sans lequel leur métier serait épouvantablement ingrat et probablement impossible. Plaisir de donner de soi, de recevoir de la reconnaissance de ceux dont la vie est entre parenthèses, plaisir de se sentir utile, voire indispensable.

« Si les infirmières tiennent bon dans ce lieu de souffrance et de concentration de toutes les misères, c'est que nulle part ailleurs elles ne trouvent une telle satisfaction à leurs exigences de sens. Toutes celles et ceux qui sont prêts à en payer le prix (exorbitant pour les autres) savent bien que sans cette densité affective et émotionnelle, elles/ils ne trouveraient pas leur compte[5]. »

Anne Perraut Soliveres fait remarquer que ce plaisir est inavouable, suspect. Comment les infirmières oseraient-elles énoncer la difficulté quotidienne du soin, si elles reconnaissaient aussi y prendre du plaisir ?

Dans les réunions, ce sont donc d'abord les difficultés, la souffrance qui sont exprimées. Il faut beaucoup de confiance et de familiarité au sein d'une équipe pour reconnaître devant les autres le plaisir que l'on prend à donner de soi-même.

Peut-être reconnaît-on les « résistants » à ce « plus » de présence et d'attention qu'ils mettent dans le quotidien du soin. Un plus librement choisi et qui leur permet de dépasser le sentiment si répandu de n'être que des exécutants de prescriptions.

5. Anne Perraut Soliveres, *op. cit.*, p. 244.

On en revient toujours là : il faut se parler, pour qu'il y ait de l'humain.

Ce soir, ils sont sept infirmiers et infirmières cliniciens chez moi[6]. Ce sont des soignants un peu particuliers. Conscients des lacunes de la formation officielle qu'ils ont reçue, ils ont tous pris l'initiative, parfois à leurs frais, de suivre une formation complémentaire de clinicien. Celle-ci insiste sur le développement personnel. Il faut apprendre à se connaître, à prendre soin de soi, à se ressourcer si l'on veut pouvoir soigner l'autre en gardant la bonne distance, celle qui permet la compassion, sans se réfugier derrière des barrières défensives trop rigides, sans se perdre non plus dans la souffrance de l'autre. On donne donc aux infirmiers des outils psychologiques pour mieux analyser les situations qu'ils sont amenés à rencontrer, moins se projeter dans la situation du malade. Cette formation n'est malheureusement pas officiellement reconnue mais, malgré sa marginalité, elle attire de plus en plus de soignants en mal d'humanité.

J'avais proposé à ces soignants cliniciens de les rencontrer pour parler de cette fameuse « résistance » dont certains font preuve. Mais, ce soir, je trouve un groupe en pleine ébullition. Ils ont du mal à comprendre l'esprit de la réforme des trente-cinq heures.

« Comment voulez-vous introduire des moments pour parler ensemble, partager ses expériences, penser sa pratique, quand le temps qui permettrait ces rencontres n'existe plus ? »

Marie-Thérèse Balcraquin, formatrice depuis vingt-cinq ans, se demande si elle ne finit pas par faire vio-

---

6. Rencontre avec Marie-Thérèse Balcraquin, Jean-Yves Frénot, Jeanne-Andrée Chausson, Simone Bévan, Jacqueline Girard, Maria Garcia, Martine Gallois, 7 février 2002.

lence aux équipes, quand elle leur propose d'acquérir des techniques relationnelles.

« On dit qu'il faut former les soignants à la relation humaine. Mais comment voulez-vous proposer des formations à des soignants épuisés ? Si on leur propose d'apprendre à masser les patients pour les relaxer, ils vous répondent : "Vous avez vu à quelle vitesse on est obligés de travailler ?"

« On nous reproche de n'avoir aucune idée de la réalité du travail, de la pression, de l'agressivité qui se transmet d'une équipe à l'autre. C'est difficile de former les soignants à une approche globale du malade. Ce qu'on leur apporte leur semble tellement éloigné de la réalité ! Ils ont du mal à croire que c'est possible. À s'ouvrir à la possibilité d'un autre regard. Ils sont dans la plainte. Ils sont en morceaux, comme s'ils avaient implosé ! »

Les infirmières me racontent qu'il y a quatre ans, lors d'un congrès d'infirmières générales à Bourges, le représentant du ministre aurait déclaré : « Mesdames, il faut renoncer à vos visions humanistes sentimentales ! »

Certes, la réalité est là : on manque de personnel soignant. Comme le rappelle Marie-Thérèse, dans la plupart des services de gériatrie, on lave les patients un jour sur deux, faute de personnel, et souvent on ne lève les vieillards de leur lit qu'un jour sur deux !

Alors les soignants se demandent s'il ne vaut pas mieux se contenter d'assurer la part technique de leur travail et ne pas se poser de questions. Pourquoi se former, se lancer dans des projets impossibles ? Certains ont l'impression de vivre une gigantesque régression.

Malgré ce contexte très démotivant, ce soir ils affirment qu'il faut continuer à résister. Chacun à sa place essaie, par sa manière d'être, de maintenir vivantes ces valeurs humaines auxquelles il croit.

Simone Bévan est infirmière dans une équipe mobile de soins palliatifs. Elle assume une formation au sein de l'hôpital : « J'ai créé en 1995 un atelier qui s'intitule "Prendre soin de soi pour prendre soin de l'autre". Ça marche bien. Je crois que tout le monde a besoin d'avancer, d'évoluer. Cet après-midi, j'ai énormément secoué mes collègues à propos de l'écoute du malade, du respect de la personne. J'ai été très provocante, mais elles sont parties ravies. Parce que je leur ai montré que tout le monde y gagne, le patient et elles ! Je crois que les soignants sont viscéralement motivés, et que lorsqu'on leur donne les moyens de bien faire leur travail, ils sont ravis.

« Dans les groupes que j'anime, les soignants sont avides de repères ontologiques. Qu'est-ce qui donne un sens à ma vie, à mon travail ? Peut-on soigner sans aimer ? Qui suis-je face à ce patient malade ou mourant ? Dès qu'on évoque ces questions, les soignants respirent. "Ah ! on peut aussi parler de ça ? On n'est pas là uniquement pour parler de la technique du soin ?"

« Le problème, évidemment, lorsqu'on revient dans son service, c'est : jusqu'où puis-je aller avec ce que j'ai appris ? »

Simone résume bien la situation. Les soignants ont soif d'acquérir les moyens d'être plus à l'écoute et plus humains avec les malades. Mais encore faut-il qu'ils puissent appliquer et vivre ce qu'ils ont appris dans le contexte dans lequel ils travaillent. Leur nouveau savoir est parfois mal perçu par leurs collègues. Ils sont l'objet de quolibets, de jalousie et de mépris. On leur tend des pièges, en leur confiant tous les cas difficiles, les patients agressifs. Une guerre du même type que celle des « techniciennes » et des « relationnelles » dont parle si bien Anne Vega.

« Au début, raconte Jacqueline Girard qui travaille dans un service d'oncologie, on me prenait pour une hurluberlue. Je passais du temps auprès des patients, ils ne m'agaçaient pas, contrairement à mes collègues. Puis on m'a vécue comme persécutrice. J'étais l'infirmière qui "savait", celle qui faisait des massages la nuit aux patients, celle qui les écoutait quand ils étaient angoissés. Je voulais transmettre ce que j'avais appris aux autres et je ne comprenais pas qu'ils me rejettent. Je me sentais incomprise. Puis j'ai appris à me mettre en retrait, à ne pas chercher de résultats mais seulement à faire ce que je sentais être bien et les choses ont changé. C'est quand j'ai fait le deuil de mon désir de transmettre que mes collègues ont reconnu que les patients étaient différents après mon passage, plus calmes, moins demandeurs. Alors, ils m'ont demandé de leur apprendre ce que je savais, de les aider. »

Cependant il n'est pas facile d'assumer cette image de « bonne infirmière » sans dévaluer ses collègues. Jacqueline pense non seulement qu'il faut être discret, mais surtout valoriser ses collègues chaque fois qu'elles font quelque chose de bien, se montrer bienveillant avec elles. La formation de clinicien aide les soignants à composer avec leur sentiment de toute-puissance, et leur idéal de « bon soignant ».

« L'infirmière clinicienne, explique Martine Gallois, sait que l'idéal n'est pas atteignable. Elle cherche ce qui est possible. Elle est humaine. Parce que humain, ça veut dire humble. Ce qu'elle peut montrer aux équipes, c'est qu'il ne s'agit pas d'être dans l'idéal, mais dans l'humain, de ne pas se sentir coupable si on ne peut pas répondre à tous les besoins et les demandes des malades ! »

Jeanne-Andrée Chausson, qui s'est formée aux soins palliatifs, sait très bien que les infirmières ne pourront jamais appliquer tout ce qu'elle leur enseigne. Elle leur conseille de prendre ce qu'elles peuvent dans ce qu'elle leur apprend, et cela les réconforte.

Une jeune soignante m'a expliqué qu'elle avait compris qu'elle ne pourrait jamais donner à ses malades toute l'attention et la présence qu'elle souhaiterait. Au début, ce décalage entre l'idéal qu'elle s'était fixé et ce qu'elle pouvait en réaliser, compte tenu de sa charge de travail, la faisait souffrir. Elle rentrait chez elle frustrée et malheureuse. Et puis un jour, elle a décidé de mettre la barre moins haut : « Je vais essayer de donner cinq minutes par jour de vraie présence et d'attention à chacun de mes patients, ne serait-ce que cinq minutes ! Un geste, un sourire, une petite attention qui leur témoigne que je suis là pour eux ! » Cela, c'était possible. À partir de ce jour, tout a changé. Elle appelait cela « mon SMIG de présence auprès des patients ». Le soir, elle était bien moins épuisée. Elle avait le sentiment d'avoir fait ce qu'elle pouvait, le mieux qu'elle pouvait. La journée lui paraissait plus légère.

Jean-Yves Frénot est infirmier dans un service de transplantation rénale. « Je ne cherche pas vraiment à transmettre quelque chose de ma formation de clinicien. Je me donne plutôt un challenge : être à côté de la personne. Ma disponibilité interpelle les autres soignants. Du coup, ils me demandent souvent de l'aide. C'est rudement intéressant, ce soutien qu'un clinicien peut apporter à ses collègues. »

Jean-Yves a compris que l'humanisation de l'hôpital commence par l'humanisation des rapports entre les soignants. Si la formation que certains ont suivie les oppose aux autres, c'est raté ! Cette guerre larvée entre ceux qui mettent la relation humaine au centre de leur façon de soigner et ceux qui veulent s'en tenir exclusivement à la dimension technique du soin n'a pas de sens. Il faut sortir de ce rapport de pouvoir et essayer d'irriguer l'humain, avec humilité.

Comme d'autres qui ont suivi son parcours, Jean-Yves sent qu'il ne faut pas trop revendiquer la prise en compte de l'humain, parce que cette attitude est vécue comme une menace, elle remet en cause une conception techniciste de l'hôpital.

« Une fois que l'on a compris cela, on y va doucement. Cela revient à faire un travail de l'ombre, un travail presque clandestin, un travail de résistant. Il faut que l'humain transpire de nous ! »

Ces soutiers au grand cœur

En dehors de l'hôpital aussi, des hommes et des femmes continuent à servir l'humain, dans des conditions souvent difficiles et sans que leur activité soit valorisée.

Mathilde Poirson[7], par exemple, est médecin généraliste dans un centre de santé à Marseille. Sa clientèle est difficile. Il s'agit de toxicomanes, souvent atteints par le VIH. Elle a beaucoup appris à leur contact. L'importance de la prise en charge globale[8], l'importance du lien social, la nécessité de travailler en réseau[9].

Pour elle, le partage du pouvoir médical avec le malade est un des pivots d'une médecine humaine. Elle a voulu que ses patients accèdent à leur dossier, et elle prend le temps d'expliquer les mots qu'ils ne comprennent pas, les enjeux, les risques. Elle accompagne.

Myriam Kirstetter[10] est un de ces médecins dont on rêve. Elle a le sens de la disponibilité. Quand elle vous

7. Entretien du 14 mars 2001.
8. La prise en charge globale tient compte des éléments psychologiques et sociaux.
9. Les réseaux ville-hôpital associent les différents acteurs de la santé.
10. Myriam Kirstetter est médecin généraliste et vacataire à l'hôpital de la Pitié-Salpêtrière. Entretien du 7 février 2002.

écoute, elle est vraiment là, pour vous. Pourtant elle est tout aussi occupée que ses confrères. Mère de famille avec un bébé de quelques mois, elle assume à la fois trois vacations à l'hôpital et son cabinet en ville. Elle soigne des patients atteints du sida depuis l'émergence de l'épidémie. Elle a connu la période noire où elle ne pouvait empêcher de mourir, puis l'éclaircie magnifique apportée par les nouvelles thérapies. On la dit très humaine. C'est pourquoi j'ai voulu la rencontrer.

Pendant l'heure qu'elle me consacre, elle est cent fois interrompue au téléphone par des patients, qu'elle écoute tranquillement. Celui-là ne veut pas se faire hospitaliser, elle essaie de le convaincre doucement, tout en lui laissant le temps de prendre sa décision. Puis elle revient vers moi, immédiatement disponible à nouveau. Si j'étais venue pour une consultation, je ne me sentirais pas abandonnée par ces coups de fil intempestifs, parce qu'elle sait rester avec vous, tout en étant là pour un autre. Un art de la présence très rare !

Myriam refuse de faire de l'abattage de patients, d'en recevoir un toutes les dix minutes. Elle ne voit pas comment elle pourrait travailler autrement. Elle ne peut pas envisager de consultations de moins d'une demi-heure, à moins de cas exceptionnels. Quelquefois, elles durent davantage. Alors ça bouchonne dans la salle d'attente, mais les patients savent que, lorsqu'ils seront dans le cabinet, elle prendra le temps nécessaire.

Le lien qu'elle crée ainsi avec le malade est très important, elle en a conscience. C'est un bout de chemin vécu ensemble. Elle est convaincue que cette disponibilité, et la confiance réciproque qui en découle, est le garant d'une meilleure réponse thérapeutique, donc de moins de complications dans l'évolution de la maladie.

« J'ai toujours essayé de responsabiliser mes patients. De ne pas être la maman couvrante, porteuse.

Chaque fois qu'un nouveau patient arrive, je lui dis : "C'est vous qui vous prenez en charge, moi je vous aide. Je suis là pour vous donner les éléments techniques pour vous soigner, mais c'est un partenariat. Je veux bien partir pour un bout de chemin avec vous." »

Quand un de ses patients doit passer une fibroscopie ou une échographie, et qu'on lui demande de rester à jeun depuis le matin, elle prend son téléphone et elle insiste pour qu'on le prenne à l'heure, qu'on ne le laisse pas attendre.

« Il y a deux types de médecins, conclut Myriam, les médecins tiroirs-caisses et les médecins-médecins. Les médecins tiroirs-caisses ne peuvent pas aller très loin sur le plan de l'humain, c'est clair, et les patients se rebellent au bout d'un moment contre eux. »

Christophe est un de ces « médecins-médecins » qui ne ménagent pas leur peine. Il exerce dans un petit village de l'est de la France. Lorsqu'il s'est installé, il était plein d'angoisse face à ses responsabilités, et il était épuisé à la fin de ses journées de consultation. Il se concentrait tellement sur ses prescriptions qu'il finissait par ne plus prêter attention aux personnes qu'il avait en face de lui. Il lui arrivait de faire hospitaliser des malades et de ne plus prendre de leurs nouvelles. Un jour, une infirmière lui a rapporté qu'une grand-mère qu'il avait envoyée à l'hôpital l'avait réclamé avant de mourir. Cela lui a fait un choc. Depuis, chaque fois qu'il passe devant sa maison, il pense à elle. Il sait surtout que ce genre de chose ne se reproduira plus. Maintenant qu'il a un peu plus d'expérience, il travaille deux fois plus mais il se sent plein d'énergie.

Une nuit, il se rend au chevet d'une vieille femme victime d'un infarctus massif. Le médecin du SAMU, arrivé entre-temps, demande à la fille de la malade de sortir de sa chambre. Choqué, Christophe la rattrape et l'impose au médecin : « Sa mère est en train de mourir. Il faut qu'elle reste ! » La femme s'est placée à la tête du lit, et Christophe lui a suggéré de prendre la main de sa mère. Celle-ci est morte pendant que le médecin du SAMU lui posait une perfusion. Christophe ne peut oublier cette scène, ni les remerciements intenses que cette femme lui a adressés, car elle avait pu dire au revoir à sa mère.

Ces lieux qui s'humanisent

Malgré la prépondérance de la technique, en dépit des contraintes qui leur sont imposées, il existe des lieux où la résistance des soignants, la conscience des responsables finissent par préserver une certaine humanité dans le soin.

Jean-Luc Meyer[11] est à l'origine d'un projet de regroupement de deux maternités privées de Clermont-Ferrand en une seule qui assurera trois mille accouchements par an. Ce sera la deuxième maternité de France, avec un plateau technique, un service de néonatalogie, une réanimation pédiatrique. On a beaucoup critiqué ces grands pôles, notamment parce que la modernité de leur équipement, ainsi que leur gigantisme semblent rendre les soins hypertechniques. Les femmes ont une préférence pour les petites structures de proximité, à taille humaine.

Mais, en rencontrant Jean-Luc Meyer, j'ai compris qu'il était possible de concevoir un projet dans lequel l'excellence technique, la sécurité des femmes et de leur bébé seraient compatibles avec une écoute, un respect et un « souci de l'autre ».

11. Entretien du 25 janvier 2002.

Jean-Luc a suivi une formation à l'haptonomie périnatale qui l'a sensibilisé à la dimension affective et humaine de son métier.

« Je ne consulte plus du tout de la même façon. J'ai une autre écoute, une autre présence. J'éprouve une joie à rencontrer les femmes, à les écouter, à avancer avec elles. Je pense qu'elles le sentent. J'exerce d'une façon totalement différente. Ancien interne, ancien chef de clinique, chirurgien, j'étais très dans la technique ; aujourd'hui, j'ai une vision différente des choses. Cette formation m'a ouvert à une plus grande authenticité de la rencontre. Je me cache moins derrière ce rempart qu'on oppose si souvent au malade pour ne pas être sensible, pour ne pas être touché.

« Ma confiance dans les ressources de la femme a grandi. J'ai fait des expériences amusantes. Par exemple, j'ai constaté que le seuil de la douleur chez une femme apeurée, stressée, est très bas. Quand j'arrive calme et souriant, son agressivité tombe, et le seuil de la douleur s'élève.

« Ma perception de l'espace du soin a changé. J'ai constaté aussi que je pouvais faire des gestes techniques et rester présent. Par exemple, quand on lui pose un stérilet, je sais qu'une femme est souvent très stressée. Alors je commence par m'asseoir à côté d'elle, je pose ma main sur son ventre pour établir le contact, et de l'autre main je lui montre le stérilet. "Regardez, c'est tout petit, ça va passer par l'orifice cervical." Je lui explique cela tout en gardant le contact. Elle se détend, elle respire. En fait, sans le savoir, elle m'intègre dans son espace. Je pose le spéculum et le stérilet dans la foulée, et quand elle me demande : "Alors, quand est-ce que vous le posez ?", c'est déjà fait ! Elle ne s'en est même pas aperçue ! »

Avec cette grande maternité, Jean-Luc veut faire « quelque chose de différent de l'hôpital ». Les femmes qui s'adressent au secteur libéral attendent évidemment un encadrement de haut niveau, mais elles veulent aussi être suivies par le même gynécologue, et si possible être accouchées par lui. Cette relation continue avec un médecin, tout au long de leur grossesse, est primordiale. Cela leur permet de se sentir en confiance. Jean-Luc veut donc conserver cette personnalisation de la relation.

« Pourtant nous ne pouvons pas assurer à une femme qu'elle sera accouchée par son gynécologue. Les nouvelles normes de sécurité européennes nous imposent une organisation différente. Auparavant, dans les petites unités, le médecin pouvait se déplacer pour chacun de ses accouchements. Aujourd'hui, ce n'est plus possible. Nous sommes contraints d'assurer les gardes sur place, de dormir à la clinique. Nous ne pouvons donc pas être là tous les jours. On estime qu'un médecin qui a travaillé toute une nuit ne peut être au maximum de sa compétence dans la journée qui suit.

« Les patientes ne sont donc pas forcément accouchées par leur médecin, si elles accouchent la nuit. C'est pour cela qu'il me semble important qu'elles connaissent le reste de l'équipe. On a déjà imaginé de projeter, au cours de la première séance de préparation à l'accouchement, un film qui présente, sur un mode un peu humoristique, l'ensemble de l'équipe, y compris les sages-femmes.

« Ensuite, au moment des hospitalisations précédant un accouchement à haut risque, le médecin de garde passera la visite tous les matins, accompagné du médecin de la patiente, de façon qu'elle rencontre tous les médecins de l'équipe.

« On a également décidé que tous les praticiens consulteraient au même endroit, avec une salle d'attente commune à plusieurs cabinets. Ainsi les femmes pourront les rencontrer, et constater que ce ne sont pas des monstres, qu'ils sont sympathiques. Cet espace de consultation sera donc un lieu de vie, pas un lieu d'exercice individuel.

« Bien sûr, il ne faut pas que cette volonté de travailler ensemble s'arrête à l'organisation. Je travaille à ce qu'il y ait vraiment un esprit d'équipe. Il me faut beaucoup de diplomatie, car cela va à l'encontre de l'individualisme des médecins. Il faut cesser de penser compétition [...]. Notre activité, notre volonté de progresser, notre appât du gain, tout cela doit être oublié. Tout ce qu'on gagne, le moindre accouchement, la moindre intervention, la moindre consultation, est mis dans un pot commun avec lequel on paie tous les frais, avant de se partager les bénéfices. Cela demande de renoncer à beaucoup de choses, à la concurrence permanente, au sentiment de posséder ses patients, car, dans ce système, toutes les patientes appartiennent un peu à chaque médecin.

« Je me souviens d'une patiente que j'avais fait beaucoup attendre, parce que j'étais en train de pratiquer une césarienne. Elle a quitté la salle d'attente et a pris rendez-vous avec un de mes confrères. Je l'ai retrouvée à l'accouchement. On en a parlé et on a beaucoup ri ! »

Cela suppose, bien sûr, une grande culture du partage. Tout le monde gagne la même chose. Jean-Luc part du principe que, sur l'ensemble d'une carrière, il n'y a pas beaucoup de différence d'un praticien à l'autre. Il est sûr que personne ne sera lésé. C'est quelque chose qui se pratique déjà depuis vingt ans dans sa clinique. Cela met fin à la compétition et à la jalousie. Les patients ressentent cette harmonie, cela les sécurise.

De même, Jean-Luc a réfléchi aux moyens d'éviter que la dimension humaine se perde dans une si grande maternité, comme c'est le cas habituellement. Ainsi, chaque service possédera des espaces de rencontre, avec des salons d'allaitement où les femmes pourront se retrouver l'après-midi pour nourrir leur enfant. La compagnie d'autres mères, ainsi que d'une puéricultrice et d'un pédiatre les soulagera de l'angoisse qu'elles éprouvent souvent après l'accouchement.

Dans la plupart des cas, on s'occupe beaucoup des femmes avant l'accouchement et très peu après. Les femmes quittent la maternité cinq jours après l'accouchement et ne bénéficient d'aucun suivi postnatal. Or cette phase est très importante pour la relation mère-enfant. Jean-Luc voudrait donc proposer aux femmes qui le désirent des réunions post-accouchement, pour leur permettre d'exprimer leurs angoisses ou leurs difficultés.

Il envisage également de créer, au sein de la maternité, une maison de naissance, comme cela se fait en Suisse, où les femmes peuvent accoucher dans la position qui leur convient, et sans monitoring, mais à proximité d'un plateau technique.

Jean-Luc sait qu'il faudra un peu de temps pour faire accepter toutes ces idées originales. Pour le moment, il a monté un petit groupe de travail dont les membres réfléchissent à la manière de préserver la dimension humaine de la naissance. Ensemble, ils examinent les mots et les gestes qui accompagnent cet acte. Baptiser la salle de travail « salle de naissance » est important ; il faut aussi prendre le temps d'accueillir le couple, de l'installer dans la chambre de la future maman avant de commencer l'entretien d'accueil. Le groupe travaille également à identifier tous les gestes traumatiques. Quand le bébé vient de naître, on le met sur le ventre de sa mère, ensuite on invite le père à couper le cordon ombilical, et puis on emporte le nourrisson pour les premiers soins. Là, depuis des centaines d'années, on mesure et on pèse le bébé alors qu'il est encore recroquevillé sur lui-même, tout rétracté, on l'étire le long d'un immense pied à coulisse. C'est très douloureux ! Or connaître la taille d'un nourrisson dans l'heure qui suit sa naissance est strictement inutile ; on pourrait ne le faire qu'au troisième ou quatrième jour, au cours du lange, puisqu'on a huit jours pour remplir le carnet de santé.

Autre exemple : tous les bébés du monde reçoivent dès la naissance une piqûre de vitamine K1 dans les fesses pour éviter le syndrome hémorragique du nouveau-né. Le premier contact que l'on établit avec eux se fait avec à travers une piqûre ! Ils pleurent évidemment, et on dit que c'est très bien, que cela prouve qu'ils sont réactifs. Or on sait maintenant qu'on pourrait très bien leur donner cette vitamine K1 en gouttes, sous la langue.

Jean-Luc pense qu'on pourrait s'inspirer des maisons de naissance suisses. « Il s'y fait des choses très intéressantes, la musique, la stimulation des sens. Pourquoi ne pas encastrer dans le mur de la salle de naissance un lecteur de CD qui permettra à la maman d'écouter ses disques… ? Cela ne gêne pas les anesthésistes dans leur travail. Pourquoi un carrelage blanc ? On peut choisir des couleurs pastel. On peut respecter l'odorat des femmes. Supprimer l'éther, employer des désinfectants qui ne sentent rien. Quel obstacle y a-t-il à distiller dans chaque box d'accouchement des huiles essentielles, d'oranger ou de pamplemousse ? La moquette n'est pas non plus une insulte à l'asepsie. Je voudrais un lieu agréable. »

Pour autant, Jean-Luc sait que les « techniciens » purs et durs n'accepteront jamais que les femmes accouchent sur des ballons ou dans une baignoire, comme cela se pratique dans les maisons de naissance suisses. Il faut donc qu'il parvienne à concilier les normes de sécurité européennes très contraignantes, une surmédicalisation alourdie par la crainte de plaintes de patients en justice, et son souci de préserver l'humain.

Il espère arriver progressivement, une fois que la maternité sera installée selon ses vœux, à ne pas mettre toutes les femmes en monitoring pendant quatre heures, comme on le fait systématiquement par crainte d'une hypothétique souffrance fœtale. « On leur permettra de se balader avec un système de télémétrie. » Il est d'avis aussi de ne pas procéder invariablement à une péridurale.

« L'allaitement artificiel et la péridurale, c'est un confort pour les soignants, mais certaines femmes le vivent comme une perte. Quand une femme est sous péridurale, la sage-femme peut s'occuper de plusieurs box à la fois, tandis que, dans le cas contraire, la femme nécessite une présence, des soins, il faut l'aider à respirer. C'est la même chose pour l'allaitement. Il y a cinq ans, 40 % des femmes allaitaient, maintenant elles sont 60 %. Cela nécessite de passer trois quarts d'heure avec la maman pour le premier allaitement, et de la suivre pendant les trois premiers jours, toujours difficiles, de démarrage de l'allaitement. L'aménagement d'une salle d'allaitement permettra d'encourager l'allaitement maternel. »

Les services des urgences ou de réanimation ont parfois la réputation d'être des services inhumains. Ce sont des services lourds, de haute technicité, où l'on se bat pour sauver des vies. Aussi la personne y est-elle parfois sacrifiée au profit de la technique propre à la nature des soins médicaux qui sont prodigués.

Pourtant, là aussi, on rencontre des « résistants ». Des chefs de service, des médecins, des infirmières qui tentent de préserver une dimension humaine à leur travail malgré les conditions très particulières dans lesquelles ils le font. De récentes recommandations de bonnes pratiques, publiées par les sociétés savantes des réanimateurs et des urgentistes, témoignent du souci des médecins et des soignants de ne pas être dans « l'obstination déraisonnable » et, par souci d'humanité, de ne pas prolonger des traitements devenus inutiles et sources de souffrance pour les malades et leur famille. Ces textes attestent aussi leur souci d'atténuer l'angoisse des familles, de communiquer avec elles avec le plus de tact possible, de les accompagner dans les moments difficiles. Bien des réanimateurs et des urgentistes sont sensibles à cet aspect humain de leur travail.

Sadek Béloucif[12] fait partie de ces résistants. Mais, dit-il, le chemin n'a pas été facile. Le réanimateur est formé à sauver des vies et il ressent particulièrement mal la mort de ses patients. Le taux de suicide parmi ces médecins est très élevé. Accepter la mort ne va pas de soi.

Sadek me raconte comment, jeune interne en réanimation, il a tenté de réanimer, de « s'amuser à réanimer », corrige-t-il, un patient en train de mourir d'un mésothélium pleural. Ses proches l'entouraient. Sa respiration était chaotique. Sadek a demandé à la famille de le laisser seul avec le malade, afin qu'il lui pose une sonde et un cathéter. Le patient est mort dans ses mains, pendant qu'il s'acharnait sur lui. Il se souvient d'être sorti, la mine contrite, et d'avoir annoncé à sa famille qu'il avait fait ce qu'il avait pu, mais que le patient était parti.

Sadek s'en veut encore aujourd'hui, car il a le sentiment d'avoir volé cette mort à la famille. Mais il reconnaît que cette expérience lui a permis d'évoluer vers plus d'éthique et plus d'humanité.

En tant que responsable d'un service de réanimation, il met aujourd'hui un point d'honneur à former ses

12. Entretien avec Sadek Béloucif, 17 janvier 2002.

internes à la dimension nécessaire de l'accompagnement, quand il est devenu déraisonnable de s'obstiner. Le contact tactile avec le malade, le toucher, lui prendre la main, est selon lui de la plus haute importance. Et il se dit plein d'admiration pour ces infirmières auprès desquelles il a beaucoup appris, car elles savent continuer les soins avec la même attention, le même respect, quand les thérapeutiques actives ont été arrêtées.

Il pousse ses étudiants à aller voir Barberousse de Kurosawa, car ce film a changé sa manière d'être médecin. « Je me souviens d'avoir pleuré à chaudes larmes. C'est un film très long qui raconte l'histoire d'un médecin de campagne, une espèce d'ogre au grand cœur, et d'un jeune interne dont le but est de devenir médecin spécial à la cour de l'empereur. Mais, pour cela, il est obligé d'aller faire un stage chez Barberousse. On sent tout de suite qu'il va prendre la succession de Barberousse, alors que tout semble les opposer. L'un est vêtu de riches soieries, l'autre est médecin chez les pauvres. Barberousse va stimuler son ambitieux élève de manière très violente. Un homme encore jeune se meurt d'un cancer du pancréas. Il n'y a aucune thérapeutique possible, on est au XIXe siècle. Barberousse pousse l'interne dans la chambre du malade et lui dit : "Cet homme est en train de mourir. La mort d'un homme, c'est très beau. Reste, regarde !", et il ferme la porte. On voit cet homme qui se tord de douleur sur son lit, et l'interne qui tambourine à la porte parce qu'il veut sortir, il ne supporte pas ce spectacle. Mais la porte reste close. Il doit rester. Sa seule solution est d'accompagner le mourant. Il va trouver de lui-même les mots justes, le réconfort, la douceur. »

Roland Bérard est chef de service de réanimation polyvalente à l'hôpital Dubœuf de Marseille. L'accueil et le soutien des familles en détresse lui tiennent particulièrement à cœur. Lui aussi s'est formé à l'écoute, à la présence, au contact humain. « Il m'apparaît comme une évidence grandissante que ces familles désemparées ont surtout besoin de confort, de réconfort et de soutien dans une proximité chaleureuse et sincère[13]. » Ainsi, Roland rencontre-t-il régulièrement les familles de ses patients. Il sait qu'elles ne viennent pas seulement chercher des nouvelles de la santé de leur proche, mais la possibilité de partager leur inquiétude ou leur douleur. « J'ai pris conscience que la personne n'attend pas que je lui apporte une solution souvent impossible à sa souffrance, mais que je sois là pour lui offrir cet espace d'écoute et de partage […], pour lui donner la possibilité de sentir qu'elle n'est pas seule et qu'elle peut s'appuyer sur mes ressources.

« Nous devons aller au-delà de cette contradiction apparente : donner des nouvelles peu rassurantes dans un état de présence rassurant, écrit Roland. Il ne s'agit pas d'être désinvolte ou d'un optimisme déconnecté de la réalité pour éluder une situation embarrassante – ce qui ne serait que tromperie et mensonge vis-à-vis de la famille que nous recevons […]. Nous devons savoir distiller et répéter des informations pour […] donner [à l'entourage] le temps d'adaptation nécessaire, nous assurer que les renseignements fournis sont bien compris et qu'ils circulent correctement de proche en proche au sein de la famille sans qu'il y ait de déformation ni que des personnes en soient exclues. Cela demande de notre part beaucoup d'efforts et nécessite un investissement personnel important, dans un contexte médical actuel très défavorable qui nous rend

13. Roland Bérard, *Apports de l'haptonomie dans le soutien des familles des patients hospitalisés en réanimation*, mémoire écrit à l'issue de la formation d'haptopsychothérapie, 2003.

plus facilement enclins à des réactions de découragement ou d'épuisement professionnel. »

Les familles du service de Roland Bérard sont sensibles à cet accueil, comme en témoigne ce mot qui a été déposé, un jour, sur son bureau : « Pour vous, la porte d'entrée du service n'est qu'une porte. Pour moi, c'est un mur qu'il me faut franchir tous les jours. Vous ne pouvez imaginer l'angoisse que je ressens avant de la pousser. Il me faut rassembler tout mon courage pour entrer. Il est très important à ce moment de savoir que derrière se trouve un visage connu et souriant qui vous aide à entrer. »

On sait à quel point les familles souffrent des contraintes hospitalières lorsqu'un proche est hospitalisé en réanimation. L'angoisse est à son comble. On voudrait rester auprès de celui qu'on aime et dont la vie est en danger. Lui tenir la main, lui parler, entretenir la flamme de la vie. Or les règles d'accès de ces services sont draconiennes, inhumaines, même si elles sont en partie justifiées par la technicité des soins. Pourtant, à l'hôpital Saint-Joseph, un chef de service de réanimation polyvalente, le docteur Jean Carlet, a pris l'initiative d'humaniser les conditions d'accueil des familles.

Dans le livret d'accueil destiné aux familles, il est écrit : « Vous pouvez venir tous les jours, à l'heure de votre choix. Nous nous gardons la possibilité, dans l'intérêt du malade, de limiter les visites si son état ou les soins le nécessitent. Les visites des enfants de moins de quinze ans, dans certains cas particuliers, peuvent être envisagées après discussion avec l'équipe. Ne soyez pas impressionnés par cet entourage technique qui participe au contrôle et à l'efficacité du traitement, mais n'exclut pas la relation avec votre proche : vous pouvez lui parler, lui tenir la main. Vous pouvez également, si vous le souhaitez et en accord avec les soignants, participer à certains de ses soins de confort [...]. Vous pouvez téléphoner pour prendre des nouvelles aussi bien le jour que la nuit. Vous pouvez apporter des cassettes de musique [...]. Pour personnaliser sa chambre et lui permettre de garder des repères, vous pouvez apporter des photos de famille, des dessins. Notre mission est de respecter au mieux les souhaits et besoins des malades qui nous sont confiés. Vous pouvez nous apporter une aide précieuse dans ce domaine en nous signalant ce que votre proche aurait pu indiquer ou écrire sur ses souhaits éventuels d'être maintenu sous des techniques de réanimation compliquées, ou ses craintes concernant de lourdes séquelles. » D'autres services de réanimation se sont déjà engagés dans cette voie.

Pierre Canouï[14] intervient en réanimation pédiatrique, auprès des enfants atteints de mucoviscidose et chaque fois que se présente une difficulté psychologique chez les parents et les enfants, quand un enfant arrive en fin de vie.

« On mène une réflexion, en réanimation pédiatrique, sur ce qu'il est possible de faire pour que la mort de l'enfant ne soit pas vécue comme un traumatisme trop violent par les parents et les soignants.

Qu'est-ce que signifie l'arrêt de traitement ? Qu'est-ce que signifie l'arrêt d'une ventilation chez un enfant qui en est dépendant ? On a démarré quelque chose, et on est obligé de faire machine arrière parce qu'on rentrerait dans un processus absurde. Bien sûr, à partir du moment où on supprime l'assistance vitale, l'enfant va mourir. Mais l'intention qui anime les soignants n'est pas de provoquer la mort.

14. Entretien du 15 janvier 2002.

Et tous les produits qu'on va utiliser, c'est pour éviter la douleur, pour éviter cette situation de gasp[15] pénible pour tout le monde. Les soins palliatifs consistent donc à veiller à ce que l'enfant ne souffre pas, à lui donner les antalgiques ou les sédatifs nécessaires, et à l'accompagner. Si elle le souhaite, la famille est présente au moment de l'acte d'arrêt de traitement. C'est une des premières grandes démarches, mise en place il y a trois ans. On leur propose d'être là et, quand les enfants sont petits, de les prendre dans leurs bras. »

Pierre Canouï me confirme que plus de la moitié des parents veulent être présents au moment de l'arrêt du traitement et faire la toilette de l'enfant après. C'est très important pour les soignants d'être en position d'accompagnement des parents, de les laisser parler, pleurer, d'être à leur côté. Les infirmières acceptent très bien que les parents soient là, à condition que les médecins le soient aussi. Car les parents observent tout et il faut tout leur expliquer. Si on pose une seringue de sédatifs pour empêcher les gasps, par exemple, il faut qu'on puisse leur expliquer ce qu'on est en train de faire et pourquoi. Or tout cela se prépare.

« Quand un enfant mourait, il y a quelques années, on l'envoyait à la morgue dans les cinq minutes, et c'est là que les parents le retrouvaient. C'était insupportable ! Ils venaient me dire : "J'aurais voulu être là, j'aurais voulu le baptiser." »

Qu'est-ce qui empêche de faire entrer les parents dans la chambre de leur enfant et de les laisser quelques heures avec lui ? J'ai remarqué que la façon dont les parents vivent les choses a un énorme impact sur les médecins. Cela les fait évoluer.

« Nous avons mis en place des groupes d'entraide de parents. Ils partagent leurs expériences, et on constate

15. Étouffement.

qu'ils sont plus capables qu'on ne le pense de comprendre nos décisions. Parfois, ils expriment leur colère, quand ils n'ont pas pu communiquer avec un médecin, mais l'idée générale c'est qu'ils sont capables d'envisager un arrêt de traitement et la mort de leur enfant, si on leur explique, si on les accueille, si on s'adapte à eux. Une des premières choses que l'on a faites dans le service a été de créer une salle réservée aux parents, avec un canapé, de l'eau à disposition. On a veillé à ne pas les faire attendre sans les prévenir : "On s'occupe de votre enfant et on revient." Il faut leur dire qu'on se réunit pour parler de leur enfant, qu'on rencontre des problèmes, qu'on réfléchit, il faut leur proposer de participer à notre réflexion. »

Bien sûr, il y a toujours des cas où les parents ne veulent pas qu'on arrête la réanimation. Mais, en général, ils font confiance. Seulement, ils demandent toujours du temps.

« Il y a deux notions importantes, poursuit Pierre, la notion du temps et la notion du tiers. Les soignants trouvent toujours que ça va trop lentement, et les parents trouvent toujours que ça va trop vite. C'est important d'avoir un tiers (pas quelqu'un du service, mais un médecin de famille, un médecin ami de la famille) qui peut être là dans le moment de la décision pour parler avec les parents. Nous ne sommes pas dans la fermeture, le mensonge, le non-dit, on peut parler avec des gens de l'extérieur. »

Patrick Pelloux[16] est médecin au service des urgences de l'hôpital Saint-Antoine. Le visage ouvert, les yeux rieurs, il dégage un dynamisme et une force

16. Patrick Pelloux est aussi président de l'Association des urgentistes et médecins urgentistes à l'hôpital Saint-Antoine. Entretien du 1er février 2002.

tranquille qui lui gagnent la sympathie de ses collègues et de ses malades. Il aime son métier. « C'est le plus beau du monde ! affirme-t-il, parce que c'est une vraie médecine, qui s'occupe de tout, et qui est au cœur de l'humain. » C'est pourquoi il critique violemment l'enseignement médical, tellement peu adapté à la réalité de la rencontre médecin-malade. Il ne décolère pas contre ces jeunes médecins qui débarquent dans son service en pensant plus à leur concours qu'aux personnes qu'ils ont à soigner.

« L'erreur politique majeure de ces trente dernières années a été de croire que l'hôpital appartient aux médecins ! Il faut inverser cela ! »

Le docteur Pelloux fait donc partie de ces résistants qui continuent, malgré tout, à considérer que le patient est au centre des soins. Je le suis quelques heures dans son service, et je vois bien comment par sa seule manière d'être, chaleureuse et ouverte, il transforme l'atmosphère. Ses infirmières l'appellent « papa ». En effet, il a quelque chose de protecteur.

« Moi, j'arrive à faire rire les patients. Quand vous obtenez cela, vous créez une des relations les plus intimes qu'on puisse avoir. »

Dans la salle d'attente, il n'y a pas de télévision. On diffuse de la musique classique, parce que « ça calme les gens ». C'est lui qui l'a voulu. Il aimerait installer un aquarium dans la salle des soignants. C'est là qu'ils viennent décompresser, et cela les aiderait.

« J'ai l'habitude de dire aux soignants : "Faites que les personnes âgées puissent regarder une ou deux fois le soleil, dans de bonnes conditions." »

Je l'interroge sur ceux qui viennent mourir dans son service. Et je découvre alors comment, au milieu du chaos des urgences, des soignants maintiennent des rites, des gestes, qui disent la conscience qu'ils ont de leur devoir d'humanité.

« Hier après-midi, on a reçu une personne âgée abandonnée chez elle, comme tant d'autres de nos jours. Elle avait une hypothermie, cent un ans, et toute sa tête. J'ai plaisanté avec elle. "Enfin, il y a un jeune homme qui vient me voir !" s'est-elle exclamée. Elle est morte six heures plus tard. Quand on a constaté que la mort l'envahissait, tout le personnel s'est arrêté et a entouré le brancard, comme pour une veillée. Il y avait cinq personnes autour d'elle, dans la salle de déchoquage, dans un silence recueilli et un grand respect. Pourtant, dans le couloir, à côté, ça braillait. »

Les établissements de long séjour ou les services qui accueillent des états végétatifs chroniques et des états pauci-relationnels[17] souffrent d'un manque d'effectifs. Malgré cela, on y trouve aussi des soignants qui veillent à maintenir vivantes les valeurs du soin.

Le livre de Claudine Badey-Rodriguez[18], une psychologue qui travaille dans une maison de retraite médicalisée du sud de la France, apporte un témoignage émouvant. Elle ne cherche pas à enjoliver la réalité, mais elle montre comment, au milieu de ce naufrage qu'est la grande vieillesse, des hommes et des femmes entretiennent patiemment la flamme de l'humanité.

On s'imagine que les soignants qui travaillent dans les maisons de retraite sont soit des saints, soit des personnes qu'on a mises sur une voie de garage. Or si Claudine Badey-Rodriguez a écrit ce livre, c'est pour « clamer haut et fort » que l'accompagnement de la grande vieillesse, malgré sa difficulté, est source de gratifications. Son expérience lui a appris en effet que malgré l'horreur que nous inspire l'approche de la mort,

17. État végétatif chronique qui entraîne une très faible capacité relationnelle.
18. Claudine Badey-Rodriguez, *op. cit.*

avec son cortège de maux et de handicaps, la vieillesse contient mille petites choses, des « plaisirs minuscules », chargés d'émotion et de complicité, de vie tout simplement. Car celle-ci n'a pas disparu contrairement à ce qu'on croit. Ce qui est vrai, c'est qu'il faut savoir la voir, aller la chercher, la dénicher là où elle dort, là où elle est blottie, pour la réveiller. Car trop de personnes très âgées résidant en maison de retraite ont perdu tout intérêt, tout désir, et attendent la mort.

« Cela signifierait-il que toute flamme s'est éteinte chez ces personnes, que rien ne peut plus les faire vibrer, que les émotions se sont tues, que la mort a déjà terminé son travail de sape pour ne plus laisser place qu'à l'indifférence ou la désespérance ? »

Claudine ne le croit pas. Elle a la profonde conviction que si une personne est encore en vie, c'est que « quelque chose » la maintient en vie, et que subsistent encore en elle un brin d'intérêt, un soupçon de désir, une parcelle de plaisir potentiel. C'est la recherche de ce « quelque chose » qui devrait être l'objectif essentiel des efforts des soignants dans les établissements pour personnes âgées : plutôt que d'essayer d'apporter en ces lieux un petit surcroît de vie, souvent artificiellement plaqué, commencer par aller chercher la vie là où elle se trouve.

« Mais combien de fois se contente-t-on de simulacres de vie sociale, de musique, de guirlandes et de "flonflons", de faux-semblants de fêtes où l'ennui et la tristesse qui se lisent sur le visage d'un certain nombre de résidants sont inversement proportionnels à l'énergie déployée par le personnel, pourtant pourvu des meilleures intentions du monde. »

Réveiller la vie qui est en train de se perdre demande une animation de proximité. Claudine est consciente que les institutions ne peuvent pas s'adapter totalement aux rythmes et aux habitudes de chacun, qu'on ne peut pas avoir la prétention de rendre les personnes âgées heureuses, quand elles vivent la vieillesse comme un naufrage. Cependant elle est convaincue que les maisons de retraite peuvent se donner les moyens de développer « un travail relationnel de proximité » avec les personnes âgées : « il est de notre devoir de leur fournir toutes les occasions que nous pourrons saisir de leur apporter un peu de plaisir ».

Plaisir, le mot est lâché. C'est en favorisant le plaisir que l'on peut humaniser le quotidien de nos aînés. « Les personnes âgées sont souvent moins exigeantes qu'on ne le croit en matière de joie et de plaisir, [...] une rencontre, un geste d'autrefois retrouvé, un lieu revisité peuvent être suffisants pour leur faire garder ou retrouver le sourire l'espace d'une journée. [...] Nous n'avons alors pas d'autre choix que de jouer aux pêcheurs de vie avec nos épuisettes à petits bonheurs. L'essentiel de notre travail consiste à surprendre les gens avec ce qu'ils n'osent même plus espérer. » Cela peut être aussi simple que manger des œufs au plat, boire une coupe de champagne, aller fumer sa pipe sur la terrasse, écouter quelqu'un vous lire un passage d'un livre qu'on a beaucoup aimé, ou tout simplement recevoir la visite régulière d'une personne qui s'intéresse à vous. Dans son travail quotidien, Claudine Badey-Rodriguez confie qu'il lui arrive assez souvent que des résidants lui disent : « Ça me fait du bien pour toute la journée de vous voir. Ça sera mon petit bonheur du jour ! »

Quelle image a-t-on des maisons de retraite. Lieux de vie ou antichambres de la mort ? Si vraiment, on les percevait comme des lieux de vie, on ne mentirait pas comme on le fait au moment du placement. Beaucoup de vieilles personnes arrivent en pensant qu'elles viennent simplement faire un séjour en maison de convalescence et qu'elles rentreront chez elles quelques semaines plus tard. Les familles, les médecins, les assistantes sociales leur cachent souvent qu'il s'agit là de leur dernière demeure. Parce qu'ils ont une image mortifère et terrifiante de la vie en maison de retraite. Il est vrai que la vie dans ce type d'établissement n'a rien à voir avec la vie chez soi, qu'il faut s'adapter à un endroit inconnu, à des personnes nouvelles, à un rythme de vie et des habitudes différents, et ce n'est pas une chose facile quand on est vieux. Mais c'est précisément parce que cette adaptation est une épreuve qu'on doit la préparer. Les soignants se plaignent de la mauvaise préparation des résidants qui vivent ce placement à leur insu comme une trahison. Quand ils découvrent la vérité, ils se révoltent, ou se résignent et se laissent mourir. Sait-on que 40 % des personnes âgées meurent la première année de leur placement dans une institution ?

Tout le monde ne peut pas vieillir ni mourir chez soi. Certaines situations rendent impossible le maintien à domicile, des problèmes de santé graves, des handicaps majeurs, qui mettent la sécurité des personnes en péril. Les familles ne peuvent pas toujours assumer la prise en charge d'un vieux parent. Les institutions sont donc nécessaires, dès qu'on devient dépendant ou dément, ou que l'on perd son autonomie. Mais cela autorise-t-il pour autant le mensonge, même sous le prétexte que notre proche a « perdu la tête » ?

Claudine fait observer que le résidant sent que quelque chose « ne colle pas ». « Il va alors souvent à la pêche d'informations plus précises auprès du personnel. "Où suis-je ? Quand est-ce que je rentre chez moi ? Quand mes enfants vont-ils venir me chercher ?" Nous mettons facilement ces questions parfois inlassablement répétées sur le compte des troubles de la mémoire, de la désorientation qui peuvent accompagner le grand âge. Et s'il s'agissait simplement de la recherche de la "vraie" réponse ? »

Même confuse, désorientée ou démente, une personne âgée n'a-t-elle pas droit au respect ? Souvent on estime vain de communiquer avec elle. On parle d'elle en sa présence comme si elle n'était pas là, comme si elle n'entendait pas, ne comprenait rien à ce qui la concerne. Et on s'affranchit ainsi de toute tentative d'échanger avec elle. On en arrive à croire que non seulement elle ne pense plus, mais qu'en plus elle ne sent plus. D'insensée, elle devient à nos yeux insensible. Des familles cessent alors de rendre visite à leur parent sous prétexte qu'il ne se rend pas compte qu'on vient le voir ou qu'il ne reconnaît plus ses proches.

« J'ai pu observer maintes fois combien la personne, si détériorée soit-elle, entend, commente éventuellement ce qui est dit, est présente d'une certaine façon, à sa façon, dans l'échange qui la concerne [...]. Telle personne ne parlant plus depuis des mois va soudain retrouver la parole pour chanter un couplet d'une vieille chanson ; telle autre va tout à coup reconnaître un objet ayant fait partie de son univers familier », raconte Claudine. Son observation rejoint celle de psychiatres ou de médecins qui refusent de penser qu'un dément ne perçoit rien.

Accepter de reconnaître le dément comme un être qui éprouve encore des sentiments, qui est donc doté d'une affectivité, même s'il ne l'exprime plus verbalement, qui peut encore avoir des éclairs de lucidité, c'est « reconnaître l'humanité et la dignité inaliénables de tout être humain ». On pense à ces mots de Christian Bobin, dans *La présence pure*[19] : « C'est par les yeux qu'ils disent les choses, et ce que j'y lis m'éclaire mieux que les livres. »

19. Christian Bobin, *La Présence pure*, Le Temps qu'il fait, Cognac, 1999.

L'hôpital maritime de Berck accueille les plus grands handicaps, les accidentés de la route en phase de rééducation, les dépendances les plus lourdes, comme les personnes atteintes du LIS (Locked In Syndrome) mais aussi des personnes en état végétatif persistant, ainsi que leurs familles. Longtemps considéré comme « le Cayenne de l'Assistance publique[20] », l'établissement jouit aujourd'hui d'une belle réputation. Jean-Dominique Bauby[21] y a contribué par son livre.

C'est Emmanuel Hirsch qui m'a parlé de ce lieu. Il a suffi d'un coup de téléphone à Odile Bodo, la directrice de l'hôpital, pour qu'elle m'y accueille une journée entière.

J'ai tout de suite aimé Odile, sa voix grave, sa démarche fière, son regard profond, expressif à l'extrême. On y lit sa détermination – j'ai devant moi une femme d'action – mais aussi sa sensibilité. On y lit son énergie. Odile se dit anticonformiste. Je crois en effet qu'il faut l'être pour réveiller les pesanteurs institutionnelles, oser des changements.

Odile Bodo se sent parfois très seule. Être confronté quotidiennement à des situations extrêmes renvoie inévitablement à des questions philosophiques auxquelles il faut réfléchir, comme elle le dit, « avec modestie, et recul ». Ce sont parfois des questions sans réponse. Quel est le sens de la vie quand on souffre d'un handicap absolu ? Quel sens y a-t-il à vivre des années en état végétatif persistant ? Soigner ceux que la maladie réduit à l'impuissance la plus totale n'est pas facile.

20. Selon le mot d'Odile Bodo, ancienne directrice de l'hôpital maritime de Berck. Entretien du 5 février 2002.
21. Jean-Dominique Bauby, *Le Scaphandre et le papillon*, Robert Laffont, Paris, 1996.

On se demande si, à leur place, on supporterait cette vie-là.

Les établissements du type de l'hôpital maritime de Berck sont comme de grandes éponges. Ils absorbent quotidiennement leur lot d'angoisse et d'agressivité. On y trouve donc le meilleur et le pire. Des gens qui n'en ont « rien à foutre des malades » et des gens qui les aiment.

À son niveau, que peut faire Odile ? Que peut faire une femme sensible, cultivée, intelligente, à la tête d'un gros bateau rigide, secoué au milieu d'une sorte de tempête sans fin ? Humaniser l'hôpital n'est pas une tâche facile quand chacun travaille dans son coin, quand il n'y a pas de vrai consensus sur le sens du travail.

Odile fait donc ce qu'elle peut et c'est beaucoup. Elle sait qu'elle ne peut pas secouer la pesanteur institutionnelle du jour au lendemain. Les gens n'aiment pas changer leurs habitudes.

Tandis qu'elle m'emmène faire le tour de l'hôpital, que nous longeons les longs couloirs clairs qui donnent sur la mer et le ciel à perte de vue, elle m'explique qu'elle les a fait décorer, qu'elle a fait ouvrir l'hôpital sur la mer par un promontoire fleuri où familles et patients peuvent se retrouver dès que le soleil le permet. Les cloches de la chapelle qui s'étaient tues longtemps sonnent à nouveau et rythment la vie des patients.

Nous arrivons à l'atelier. Une superbe salle, haute de plafond, qui sent bon la peinture et le vernis, où sont exposées les œuvres de quelques résidants, des visages dessinés au fusain, portraits de l'un ou de l'autre. Odile a obtenu un poste d'art-thérapeute pour animer l'atelier. Les patients y viennent, ils osent s'exprimer. Même s'ils n'ont jamais peint, ils se lancent. C'est une manière pour eux de dire des choses. Il arrive qu'ils s'adressent ainsi des mots d'amour les uns aux autres.

Odile regrette que les soignants n'osent pas venir eux aussi se ressourcer dans la salle d'art-thérapie. Je me souviens du témoignage d'une infirmière en soins palliatifs qui venait régulièrement « faire de la terre ». Elle prenait une boule de terre et commençait par déverser toute son agressivité dedans, en la pétrissant dans tous les sens. Après seulement, elle pouvait commencer à créer un objet qui ait du sens. L'expression artistique permet à la fois de décharger ses tensions, ses émotions, et de les transformer en créant quelque chose. La salle d'art-thérapie est là, belle et attractive, comme un havre de paix, attendant ceux qui n'ont pas encore compris la chance qu'ils ont d'avoir un pareil lieu à leur disposition. C'est à Odile qu'on le doit, comme on lui doit l'idée du jardin intérieur où ceux qui veulent planter leur petit carré le peuvent.

Quand une femme de goût s'intéresse à un hôpital, cela se voit. Elle a été obligée de composer avec l'architecture d'un autre temps, les grands couloirs, le côté carré, mais la lumière et l'harmonie pénètrent partout, quand on le veut. Question de couleur, question de détails.

L'humanisation de l'hôpital passe par toutes ces initiatives qui témoignent de l'énergie et de la créativité de quelques personnes qui y croient encore. Ainsi, l'idée de donner la parole aux malades. Leur permettre de dire et d'écrire qui ils sont, d'où ils viennent et ce qu'ils vivent, comme on le découvre dans l'opuscule *Instants donnés*[22].

Nous faisons le tour des services. Je suis agréablement surprise par la propreté des couloirs et des chambres, par les couleurs gaies et lumineuses, les rideaux aux fenêtres qui donnent une impression d'in-

---

22. Opuscule non publié qui réunit les témoignages des patients de l'hôpital de Berck.

timité. On se sent bien, et c'est important. Odile a raison, cette attention portée au cadre est essentielle. C'est une manière de manifester le respect que l'on a pour ceux que l'on accueille. Je pense à certains services délabrés d'hôpitaux parisiens, comme celui dans lequel mon voisin est actuellement hospitalisé, après un accident vasculaire cérébral. Murs gris et lépreux, couloirs lugubres aux peintures sales, chambres à quatre lits, séparés par d'antiques rideaux en plastique usé, lézardes au plafond, fissures dans les murs... il y a de quoi déprimer ! Et surtout, ce sentiment de n'être qu'un corps tuyauté en réparation. Pas l'ombre du sentiment d'exister comme une personne. À Berck, même les chambres à deux lits ou à quatre lits ont quelque chose de familial, de chaleureux. Au fond, c'est un lieu de vie. D'ailleurs Odile Bodo y habite, et elle s'y sent bien.

En l'espace d'une heure, je mesure le poids de sa présence. Non pas une présence administrative, mais une présence humaine. Un jeune Chinois sort de sa chambre. Il a les bras très abîmés, le résultat d'un règlement de compte. Il vient vers Odile et l'embrasse. « Je suis sa maman symbolique », me dit-elle, comme pour s'excuser de cette familiarité. Je mesure à sa réaction combien les manifestations affectives sont encore taboues à l'hôpital. Quelques mètres plus loin, c'est une infirmière en larmes qui l'interpelle. Elle ne veut pas changer de service ! Puis un homme en fauteuil roulant, dépressif, demande à lui parler. Elle lui promet un rendez-vous, et il me lance : « Cette femme, c'est un bijou ! On doit l'aider, car il faut des bras de fer pour porter cette institution ! » Une soignante sort en furie de sa chambre, elle aussi veut voir Mme la directrice, elle a à se plaindre d'un patient. Cette fois-ci, Odile la renvoie vers l'infirmière-chef. Elle doit constamment discerner les limites de son action. Ne pas court-circuiter les responsables hiérarchiques, ménager les susceptibilités, et, pour cela, rester extrêmement vigilante.

Je ne peux oublier le déjeuner qu'elle a organisé en mon honneur. Nous sommes sept femmes autour de la table. Sept femmes à défendre la primauté de l'humain à l'hôpital. Une infirmière, une aide-soignante, une orthophoniste, une responsable du personnel et une art-thérapeute nous entourent, Odile et moi. L'esprit de résistance est bien vivant ici. Ces femmes veulent préserver les valeurs d'humanité auxquelles elles croient, les défendre quotidiennement quand la lassitude et l'indifférence guettent et s'insinuent de manière sournoise. C'est un combat à reprendre chaque jour. Cela rend humble et modeste. Il n'y a pas de grandes victoires, seulement des petites, des signes infimes qui disent que l'humanité qu'elles donnent est reçue cinq sur cinq. L'esprit de résistance se caractérise par la conscience aiguë de se situer à contre-courant, d'occuper un terrain abandonné par d'autres, y créer. Je retrouve ici le même défi que celui que j'ai affronté les années où j'ai partagé le travail d'une équipe de soins palliatifs : montrer ce que l'on peut faire quand on croit qu'il n'y a plus rien à faire. Il faut de l'audace pour cela. À Berck, on « ose ce que l'on n'envisage plus ailleurs[23] », c'est-à-dire injecter du sens là où on pourrait, si facilement, penser qu'il n'y en a plus. On ose faire un nursing de qualité à une personne qui dort dans un état végétatif depuis dix ans. On sollicite patiemment, et régulièrement, l'articulation d'un son, puis d'un autre, chez un patient enfermé dans son corps comme dans un scaphandre, incapable de communiquer par la voix. On témoigne ainsi l'indéfectible considération que l'on

23. Emmanuel Hirsch, *La Révolution hospitalière, une démocratie du soin*, Bayard, Paris, 2002, p. 257.

porte à ces frères humains, mutilés, entravés dans leur liberté de dire et d'agir.

Une aide-soignante qui s'occupe du nursing de ces malades, et qui est en contact permanent avec les familles, me raconte qu'il arrive qu'au moment de mourir ces malades, qui n'ont donné aucun signe de relation pendant des années, expriment une sorte d'appel à l'intention de leur mère. Il est difficile de comprendre le mystère de ces relations secrètes, intimes, entre une mère et son enfant dans le coma depuis des années. Peut-être doit-on simplement se contenter de les accepter, telles qu'elles sont, avec leur opacité, leur apparente absurdité ?

5

Une culture du soin

Comme on vient de le voir, au cœur même des services les plus durs, des êtres humains veillent à maintenir allumée la petite flamme de l'humanité. Ils accomplissent ainsi le « devoir d'utopie[1] » dont le monde a tant besoin.

Que l'on soit soignant ou soigné, nous avons tous un rôle à jouer, une pierre à apporter dans la construction d'un système de santé plus humain. Le terme de « démocratie sanitaire » inventé par Bernard Kouchner n'est pas anodin. C'est ensemble que nous avancerons dans cette voie.

Il s'agit, comme nous l'avons dit plus haut, de prendre conscience de cette vulnérabilité qui nous est commune. Comme j'ai tenté de le montrer par le témoignage de professionnels du soin passés de l'autre côté de la barrière des bien portants, la culture du soin s'enracine souvent dans l'expérience de la maladie.

Mais bien d'autres facteurs peuvent la favoriser : la reconnaissance de l'affectivité des soignants, la formation des médecins et des chefs de service à la relation humaine, la réflexion éthique.

1. Emmanuel Hirsch, *op. cit.*

Reconnaître l'affectivité des soignants

On ne choisit pas par hasard de devenir soignant, de prendre soin des malades, des personnes âgées ou des mourants, nous l'avons dit. Quelles que soient les motivations, conscientes ou inconscientes, de ce choix, elles sont mêlées à l'histoire de chacun. Le face-à-face avec la souffrance d'autrui réveille donc inévitablement des échos personnels, intimes, et nier l'affectivité des soignants est une erreur grave. Ne pas leur reconnaître le droit d'être émus, parfois bouleversés par une situation, c'est leur refuser leur part d'humanité. J'ai parfois entendu des directeurs d'hôpital affirmer que leur personnel soignant « ne devait pas avoir d'états d'âme ». Voudraient-ils une race de soignants robots ? Des soignants qui exécutent des tâches en série, sans penser ni sentir ? Qui se limitent à un rôle technique ? Autant dire au soignant : « Ici, vous n'avez pas le droit d'être vous-même, dans votre dimension humaine, mais seulement le devoir de faire votre travail. » Serait-il possible de faire sans être ? De bien faire sans être bien là ? En voulant, pour « bien faire », laisser ses soucis au vestiaire, le soignant s'y laisse souvent lui-même… « Qui a une âme a forcément des états d'âme. Des liens se tissent entre soignants et soignés, surtout dans les services de long séjour. Être ému lorsqu'un patient souffre, triste s'il meurt, est tout à fait normal et humain. Les soignants se souviennent parfois longtemps après son départ ou sa disparition de tel ou tel patient, d'un moment fort partagé avec lui. Preuve que leur affectivité est vivante. Il importe de la reconnaître, subjectivement, en toute humilité, et de l'assumer pour ne pas en devenir l'esclave : la nier ne nous en préserve guère », écrit

Romola Sabourin[2]. On devrait, au lieu d'interdire toute réaction sensible aux soignants, les aider à travailler avec, à les gérer. Mais cette culture-là n'existe pas encore dans notre Assistance publique.

C'est ce à quoi est confrontée Odile, cadre infirmière en médecine interne à l'hôpital Cochin. Sa fonction, estime-t-elle, consiste d'abord à encadrer les soignants, à rester proche d'eux ; à les écouter, les soutenir. Cela passe avant l'organisation des soins. C'est lorsqu'elle était infirmière dans une unité de soins palliatifs qu'elle a compris qu'on ne peut pas demander à une infirmière d'être humaine si on ne lui reconnaît pas le droit d'être sensible, et par là même vulnérable. Le service où elle travaille aujourd'hui n'a pas vocation à accompagner des personnes en fin de vie. Pourtant, les urgences leur envoient souvent des vieillards qui n'ont plus de point de chute, et qui vont mourir. Les infirmières doivent donc les accompagner, alors qu'elles n'ont pas été formées pour cela. Consciente de leur désarroi, Odile leur a proposé un « groupe de parole », mais elles l'ont refusé. Elles préfèrent se retrouver entre elles pour parler autour d'un café ou, quand elles sont trop épuisées, se mettre en congé maladie. La véritable raison de leur refus est qu'elles ont peur de leur vulnérabilité, peur de montrer leurs émotions. On leur a toujours dit qu'à l'hôpital il n'y avait pas de place pour les « états d'âme ».

« Il n'y a pas de culture du soin à l'Assistance publique. Un soignant, ça doit être solide, ça doit assurer ! dit Odile. Quand je suis arrivée dans le milieu hospitalier, je me suis dit : "Aïe ! C'est trop tard, les gens sont usés. On a trop tiré sur la corde des soignants." […] Ce qui me frappe, ce sont les visages. Quand je vois ceux des vieilles infirmières, c'est fou… ! ils sont com-

2. Romola Sabourin, *Les cinq sens dans la vie relationnelle*, Erasme, Paris, 1995, p. 11 et 43.

plètement barricadés ! Je trouve ça très dur ! On les a pompées sans s'occuper d'elles !

« Il faudrait dans l'hôpital quelqu'un qui ne fasse que cela, écouter, mettre du lien. Ce pourrait être un cadre, mais il faudrait qu'il soit formé à cela ! [...] j'avais écrit à Simone Veil pour attirer son attention sur cette usure, et lui demander de recourir à des "personnes-ressources" dans les hôpitaux[3]. »

En voyageant à l'étranger, j'ai découvert qu'ailleurs, en Suisse, aux États-Unis, en Angleterre, au Canada, on se préoccupe du bien-être des soignants. On a compris depuis longtemps que l'humanité des soins commence par cette attention portée à ceux qui les prodiguent. Dans la maison de soins palliatifs de Rive-Neuve, sur les bords du lac Léman, les infirmiers et les infirmières ont la possibilité de se faire masser une fois par semaine. Une masseuse vient spécialement pour ceux qui en ont besoin. Une telle mesure peut paraître anecdotique, mais elle est le reflet d'une conscience partagée de la difficulté à laquelle sont confrontés les soignants dans le soin de personnes gravement malades.

Lors d'une conférence qu'elle a donnée à Montréal, « Le soignant blessé », la psychanalyste Jan Bauer a montré combien, au Québec, la culture du soin intègre la question de la vulnérabilité des soignants. « Le soulagement et la transformation de l'angoisse ne sont possibles que lorsque soignants et soignés peuvent se rencontrer humblement, sur le même terrain de l'expérience humaine, reconnaissant que nous portons tous en nous joie et douleur, vie et mort, et que c'est par les choses qui nous blessent et nous pénètrent qu'on devient vulnérable, donc ouvert aux autres et véritablement humain[4]. »

3. Entretien du 15 novembre 2001.
4. Jan Bauer, « Le soignant blessé », conférence internationale sur la prise en charge extrahospitalière des personnes vivant avec le VIH, 27 mai 1995.

Plus on reconnaît aux soignants le droit d'être touchés, et parfois démunis, par les souffrances de leurs malades, plus on permet un rapprochement entre soignants et soignés.

À San Francisco, Franck Ostaseski, qui forme des soignants et des bénévoles, ne cesse de répéter : « N'ayez pas peur de vos blessures, de vos limitations, de votre impuissance. Car c'est avec tout cela que vous êtes au service des malades, et pas avec votre supposée force et votre supposé savoir. » Il exhorte les soignants à explorer leurs souffrances, à les écouter, à en prendre soin au lieu de les refouler. C'est seulement ainsi qu'ils sauront dépasser leurs peurs ou leur pitié pour écouter l'autre avec compassion. Franck Ostaseski essaie aussi de faire comprendre à ses élèves que la solitude de leurs malades serait vaincue s'ils osaient cette authenticité, s'ils osaient se montrer avec leurs émotions, leurs limites.

Cette façon de voir les choses ne fait pas partie du tout de notre culture. Nous maintenons un fossé entre les supposés forts (les médecins, les soignants) et les supposés faibles (les malades). Mais aucune rencontre humaine n'est possible dans un tel cadre.

Je repense à ces mots du professeur Claude Olivenstein, lus il y a quelques années : « Il faut montrer nos émotions et dire ce que nous ressentons, car la parole est vraie et montre nos limites ; elle montre qu'on est aussi des hommes et non des dieux. »

La formation des médecins à la relation humaine

« Chaque jour, j'avais mauvaise conscience. J'avais l'impression d'avoir fait correctement mon métier du point de vue technique, mais j'avais l'impression d'avoir trahi le sens de cette profession, de n'avoir pas connu réellement mes malades. J'ai étudié des cas, je n'ai pas soigné des hommes[5]. »

Saluons l'humilité de ce grand médecin qui reconnaît être passé à côté de l'humain.

Nos facultés de médecine forment d'excellents scientifiques, mais la formation à la relation humaine y est quasiment inexistante. Alors que les futurs médecins vont être, pour la plupart, confrontés à l'angoisse, à la souffrance humaine, à la crainte de mourir de leurs malades, ils ne reçoivent aucune formation psychologique ou éthique les préparant à ce face-à-face. Est-il normal que ceux qui font le choix de prendre soin des autres ne soient jamais interpellés pendant leurs études sur leur capacité à entendre la souffrance, sur la responsabilité humaine qui est la leur ?

Car cette responsabilité est le pivot des professions d'aide. La vulnérabilité et la dépendance des malades obligent. Le capital de confiance qu'ils mettent entre les mains des médecins confère à ces derniers un pouvoir considérable dont ils devraient prendre et garder conscience, afin de ne pas en abuser comme on le voit trop souvent, même sous des apparences humanistes.

Ce n'est pas en injectant par-ci, par-là, quelques cours de psychologie, de sciences humaines et d'éthique que l'on formera les médecins à être des hommes responsables, mais en bouleversant de fond en comble l'esprit même de l'enseignement qu'ils reçoivent. L'homme, la nature humaine doivent être enseignés dans leur globalité. Il est urgent que les étudiants en médecine soient formés pour devenir des humanistes connaissant l'âme humaine, tout autant que le métabolisme des acides aminés. Il faut les préparer à cette

5. Paul Millez, *Ce que je crois*, Grasset, Paris, 1986, p. 194.

confrontation avec la souffrance humaine, non pas seulement d'une manière livresque et théorique, intellectuelle, mais aussi d'une manière affective et pratique.

Dans son dernier ouvrage, Denis Labayle[6] souligne à juste titre l'inadéquation de la formation des médecins avec la réalité de leur métier. Trop de notions inutiles, pas assez de réflexion sur la souffrance engendrée par les maladies et les examens prescrits, l'accompagnement des malades en fin de vie, l'apprentissage d'un langage de prudence et de respect envers le malade et sa famille.

Tout médecin candidat à un poste devrait, suggère-t-il, effectuer un stage obligatoire pour découvrir l'établissement où il va travailler, rencontrer l'équipe administrative ainsi que les autres corps de métier. Tout futur directeur d'hôpital devrait faire plusieurs séjours d'immersion dans des services tels que les urgences. Après avoir vu les médecins passer des heures au téléphone pour essayer de trouver un lit, ils deviendraient d'ardents opposants à la politique de diminution des lits de médecine. En suivant le parcours des repas, ils comprendraient pourquoi les plateaux, qui arrivent froids et sont inadaptés à l'état nutritionnel du malade, repartent sans avoir été entamés.

Sans cesse, Denis Labayle revient sur la nécessité de se mettre à la place de l'autre, de comprendre quelles sont ses difficultés, d'échanger, de se rapprocher de lui : « L'éducation de ceux qui se destinent à lutter, de près ou de loin, contre la souffrance, ne se rapproche jamais assez des conditions de ceux qui la vivent. On ignore trop facilement ce que l'on fait vivre aux autres. »

Comment comprendre sans passer quelques instants de l'autre côté de la barrière ? Denis Labayle suggère que la formation des futurs médecins, infirmières et

6. Denis Labayle, *Tempête sur l'hôpital*, Le Seuil, Paris, 2002.

même directeurs d'hôpital se termine par un stage où l'étudiant fasse pendant quelques jours l'expérience d'être hospitalisé. « Cela rendrait les administratifs beaucoup plus soucieux du confort et plus inventifs, les médecins plus humains et moins prescripteurs d'examens, les infirmières plus silencieuses et encore plus respectueuses des patients. L'idée fait toujours sourire. Je la crois pourtant essentielle tant humainement qu'économiquement[7]. »

J'estime, pour ma part, que toute personne ayant quelque pouvoir sur autrui devrait accepter une supervision de son attitude. L'humanité des soins passe par là. Malheureusement notre système ne permet pas cette évaluation, même si l'accréditation[8] est une tentative dans ce sens.

« Autrefois, quand on apprenait la médecine, raconte Daniel Serin, on nous apprenait à utiliser nos sens dans l'approche clinique. On regardait, on sentait, on écoutait, on touchait. Aujourd'hui, les jeunes médecins, les internes veulent se réapproprier cette dimension de contact, cette dimension humaine. Ils sont très demandeurs de formation aux outils de la communication, pour améliorer la relation avec les malades. La Société française de psycho-oncologie se bat d'ailleurs pour que les professionnels ne reçoivent pas seulement une formation technique et scientifique, mais aussi humaine. La cancérologie, c'est quand même un domaine très difficile. Les médecins et les soignants qui choisissent cette spécialité ont conscience de sa richesse humaine, sinon ils se seraient orientés vers d'autres, l'orthopédie, l'ophtalmologie… Bien sûr, parmi nous, il y a des brutes épaisses, mais les patients ne les supportent pas, et c'est un des bienfaits de l'évolution actuelle : ils ont

7. Denis Labayle, *op. cit.*, p. 243.
8. Cf. note 13 p. 84 sur l'ANAES.

appris à ne pas être mariés avec leur médecin. Actuellement, les personnes malades sont quand même plus libres[9]. »

Les médecins, qui ont eu la chance de travailler comme aides-soignants au cours de leurs études, ont découvert la réalité du soin, la vulnérabilité des malades, le bien qu'on peut leur apporter, dans cette proximité obligée des corps, dès que l'on est attentif et chaleureux.

Xavier a commencé comme aide-soignant à seize ans, puis il est devenu infirmier, et enfin il a fait médecine. À la fin de ses études, il a changé de métier et il s'est orienté vers le journalisme. Une fuite ? Non, Xavier a estimé tout simplement que la formation qu'il avait reçue ne lui permettait pas d'assumer les responsabilités énormes qui devenaient les siennes en pratiquant la médecine. Cette honnêteté devrait faire réfléchir nos doyens. La formation des futurs médecins ne leur permet pas d'exercer leur métier dans sa dimension humaine. Le témoignage de Xavier est exemplaire. « Ce qui m'a fait arrêter médecine, c'est la dernière année de l'internat, en urgence-réanimation. Je me suis retrouvé avec des responsabilités bien au-delà de mes compétences. Je suis allé au bout de la violence médicale, au bout d'une agression absolue des corps. Un jour, j'ai posé un drain pleural à quelqu'un qui était curarisé, et je me suis aperçu qu'il était conscient et qu'il n'était pas sous morphine, donc qu'il souffrait atrocement. J'ai mis deux jours à m'en remettre. »

Xavier a beaucoup souffert de ce qu'il appelle « la violence médicale ». Quand il était aide-soignant, il était heureux. Il aimait le contact humain, le sentiment

9. Daniel Serin est oncologue à Avignon et président de la Société française de psycho-oncologie. Entretien du 4 février 2002.

de faire du bien quand tant de gestes médicaux sont vécus comme violents. Le soin, dit-il, est dans les mains des soignants, pas des médecins. « Quel décalage entre ce que j'ai appris comme aide-soignant et ce que j'ai appris comme médecin ! »

Roland Bérard, le réanimateur dont j'ai parlé plus haut, affirme que sa sensibilité à l'humain s'est enracinée dans son travail d'infirmier de nuit, pendant ses études de médecine. « Je faisais neuf nuits par mois, et j'allais de service en service. J'ai quasiment appris l'essentiel pendant cette période. Je faisais les nursings, les toilettes. La nuit, il y a des gens angoissés qui veulent parler, et aussi des gens qui meurent seuls, dans les salles communes, abandonnés. Je restais près d'eux. Je leur tenais la main. Je sentais une compassion en moi[10]. »

Tout le monde est donc d'accord là-dessus, les médecins doivent être formés à la dimension humaine du dialogue avec leurs malades et soutenus dans l'appréhension de leur propre affectivité. Certains d'entre eux, depuis longtemps conscients de cette lacune dans leur formation initiale, ont pris l'initiative et la responsabilité d'une formation personnelle dans le cadre des groupes Balint.

Ces groupes, qui se sont développés ces dernières années, rassemblent huit à quinze médecins ou soignants autour d'un psychanalyste afin de discuter, une ou deux fois par mois, des problèmes psychologiques de leurs malades et de leur implication personnelle face à ces derniers. Chaque médecin a ainsi l'occasion d'exposer un cas qui lui pose problème, par exemple un patient dont il ne supporte pas l'agressivité ou l'angoisse. La vision et les interprétations des autres membres du

10. Roland Bérard, *op. cit.*

groupe lui permettent de prendre conscience du rôle de la psychologie du patient dans son affection, mais aussi de la manière dont il est lui-même impliqué dans cette relation avec ce malade. Il apprend ainsi peu à peu à tenir compte de la dimension affective du patient, à comprendre les réactions qu'elle suscite chez lui, et à prendre du recul face à elles.

Toujours dans le but d'être plus au clair avec leurs émotions et de mieux soigner et accompagner leurs malades, certains médecins ou soignants veulent aller plus loin encore dans ce type de travail et entament une psychanalyse ou une psychothérapie.

Il faut cependant reconnaître les limites de telles démarches : tous les médecins en effet ne sont pas prêts à se remettre en question que ce soit dans le cadre d'un groupe Balint ou d'une psychothérapie.

De la responsabilité des chefs de service

Les soignants et les malades le disent : si le chef de service, si les responsables ont perdu le sens de l'humain, le climat d'un service en pâtit et les malades ne se sentent pas traités comme des personnes. C'est d'abord aux chefs de service qu'incombe la responsabilité de valoriser l'humain dans les soins. Ce sont eux qui donnent le ton, leur exemple est primordial. « Quand celui-ci est respectueux de son équipe, l'équipe respecte les malades, quand il est hautain, méprisant, le service est à son image », déclare Daniel Serin, que j'ai déjà évoqué. M. Barrault me disait qu'il « suffit qu'un chef de service, dès qu'il reçoit ses internes et dès les premières visites, leur impose une règle de bonne conduite, qu'un cadre infirmier sache dire à ses infirmières : "Ici, on fait comme cela !" […]

Il suffit de quelques attentions pour que l'esprit d'une équipe change[11] ! »

Lorsqu'on réalise à quel point la qualité humaine d'un chef de service est importante, on se demande pourquoi aucun ministère concerné n'a encore rien entrepris pour changer les critères de choix des responsables. Si le critère de sélection d'un chef de service était sa capacité humaine à gérer une équipe plutôt que ses titres et ses travaux, si on décidait de former systématiquement tous les responsables à la gestion d'équipe, peut-être alors verrait-on fleurir des services humains.

C'est ce dont témoigne cet infirmier de La Maison à Gardanne[12] : « Ici, on ne sent pas le poids de la hiérarchie. Elle existe, bien sûr, mais elle est tellement utilisée à bon escient qu'elle n'est pas lourde. Dans tous les services où j'ai travaillé auparavant, personne ne me saluait. On me tombait dessus. Ici, on commence par me dire bonjour, et ensuite on me dit ce qu'il y a à faire. C'est fou la différence ! Les médecins sont à nos côtés, ils nous parlent, parfois même ils nous donnent un coup de main pour lever un patient, ils s'intéressent à nous, ils nous demandent notre avis. Ce que j'ai trouvé à La Maison. c'est la considération. Il y a un respect total du soignant. »

Daniel Serin fait partie de ces médecins humanistes qui, tout en étant d'excellents techniciens, savent d'instinct que leur disponibilité, leur écoute, l'attention qu'ils vont témoigner par leur manière de s'asseoir, de regarder le patient, d'engager le dialogue avec lui peuvent tout changer. Lorsque je lui demande comment il a acquis et conservé cette humanité dans un monde qui en manque de plus en plus, il raconte :

11. Entretien du 6 février 2002.
12. La Maison est un centre de soins palliatifs situé à Gardanne.

« J'ai vécu plusieurs expériences très agréables, avec des chefs de service qui avaient des valeurs humaines qui irriguaient notre quotidien. Pendant mes études de cancérologie, j'ai eu affaire à d'autres chefs de service qui mettaient en pratique leurs valeurs judéo-chrétiennes de charité. Ce sont ces valeurs de charité, de souci de l'autre, qui ont bercé mon éducation et celle de beaucoup d'entre nous, qui se retrouvent dans ma manière d'être auprès des patients[13]. »

Daniel Serin pense que le « balancier de l'humain » est en train de revenir. « Sous une double pression, celle de la société (malades, familles, associations) et celle des soignants eux-mêmes qui, à un moment de leur carrière, se posent des questions sur leur exercice. Être soignant, ce n'est pas seulement exercer un savoir-faire technique. »

Si, pendant longtemps, la gestion d'une équipe s'est faite sur un mode paternaliste et autoritaire, il n'est plus question aujourd'hui de recourir à ce mode. Les équipes qui fonctionnent bien sont des équipes qui ont adopté une démarche participative. La parole de chacun pèse son poids. Les décisions sont prises de façon collégiale, les soignants y participent. Malheureusement, trop rares encore sont les chefs de service qui gèrent leur équipe de cette façon. Or on sait bien que l'absence de communication entre soignants et malades, si fréquemment reprochée par ces derniers, est le reflet exact de l'état relationnel de l'équipe. Une équipe qui se réunit, au sein de laquelle on se parle, on ose confier ses difficultés, est une équipe qui sera à l'écoute de ses malades. À l'inverse, quand les soignants se croisent sans jamais échanger, quand règne la loi du chacun pour soi, il y a fort à parier que le malade se plaindra de ne pas trouver l'humanité dont il a besoin.

13. Entretien du 4 février 2002.

Puisque l'hôpital se veut une entreprise, on se demande pourquoi il n'importe pas en son sein les techniques de groupe auxquelles l'entreprise fait appel depuis longtemps pour améliorer la communication. Échange d'informations sur ce que chacun fait, échange à propos du patient. L'aide- soignante qui a parlé avec le malade pendant sa toilette a sûrement des choses essentielles à communiquer au médecin sur l'état d'âme de celui-ci. Les soignants ont besoin de savoir comment le médecin a communiqué une mauvaise nouvelle, comment celui-ci a réagi.

On m'objectera que toutes ces informations sont consignées au prix d'heures non négligeables d'écriture, dans le dossier de soin. Il suffirait donc de lire ! Mais l'échange verbal reste irremplaçable, on communique alors bien au-delà des mots. Ceux-ci portent une richesse affective qui ne se transmet pas par l'écrit. Ainsi, dans les réunions, se tisse un lien entre soignants qui facilite le travail de tous.

La réflexion éthique

L'Espace éthique de l'AP-HP, dirigé et créé par Emmanuel Hirsch, est un lieu d'échange, de rencontre et de formation où médecins et soignants viennent réfléchir aux valeurs qui sous-tendent leur action. En quelques années, ces valeurs ont beaucoup évolué. « À la guérison à tout prix, on oppose la qualité de vie, au secret, le partage de la vérité, à la légitimité du médecin, celle du patient qui entend participer à la décision », écrit Marianne Gomez dans La Croix[14].

14. *La Croix*, 21 novembre 2002.

C'est pour digérer ces bouleversements que l'Espace éthique a invité près de deux mille personnes, ces dernières années, à participer à des groupes de travail pour se forger peu à peu une « culture du soin ».

L'Espace éthique n'est pas, en effet, un lieu où les médecins et les soignants en difficulté viendraient chercher un avis extérieur, une solution à leurs problèmes, mais un lieu qui les invite à penser leur pratique, à comprendre ensemble ce qui peut l'aider ou l'entraver. Dans ces discussions, chacun apprend de l'autre, vérifie ou infléchit ses intuitions. Les participants travaillent à partir d'histoires vécues. De ces échanges, se dégagent des valeurs communes. Le respect de l'autre, une notion qui peut avoir l'air désuète mais qui change totalement la manière dont sont perçus les soins. Et puis l'humilité, c'est-à-dire le renoncement à la toute-puissance médicale et au dogmatisme. Dès lors, le patient est au centre du processus décisionnel et thérapeutique.

« On a bien vu, à travers ce travail, quelles valeurs étaient partagées au sein de l'institution hospitalière, l'accueil du plus vulnérable renvoyant à la vieille tradition de l'hospitalité, le respect des personnes dans leur singularité et leur culture. On a vu apparaître une éthique de la retenue qui s'oppose à celle du soin à tout prix et montre que les gens sont de plus en plus soucieux du sens et des limites de ce qu'ils font[15]. »

Emmanuel Hirsch me reçoit avec chaleur dans son petit bureau de l'hôpital Saint-Louis. Tout en tirant tranquillement sur sa pipe, il revient avec insistance sur le choix de l'Espace éthique : aider les soignants à se responsabiliser. Il est totalement opposé à la démarche des centres d'éthique clinique qui « débarquent dans un service, comme des pompiers », pour prescrire la démarche à tenir dans les circonstances qui soulèvent

---

15. Emmanuel Hirsch, cité dans *La Croix*, 21 novembre 2002.

de graves cas de conscience. Lui préfère inciter les soignants à réfléchir. Cela les rend autonomes, les oblige à découvrir les valeurs qu'ils ont en commun.

Comme moi, Emmanuel Hirsch a constaté que les soignants qui travaillent en soins palliatifs rapportent tous des histoires témoignant qu'un rapport assez fort s'est établi entre eux et les malades. Ils ont conscience de vivre des moments qui comptent. Ils ont le sens de la responsabilité qui est la leur. Aux soignants qui travaillent dans d'autres champs, Emmanuel Hirsch demande : « "Vous êtes-vous trouvé dans des situations où vous avez eu l'impression d'être la seule personne qui comptait pour la personne que vous soigniez ? où vous représentiez quelque chose d'infiniment précieux, d'irremplaçable ?" Certains soignants qui répondent : "Ça ne m'est jamais arrivé", et d'autres : "Ça m'arrive de temps à autre et je sais pourquoi." Ce qui m'interroge, c'est pourquoi certains soignants ne sont jamais désignés : qu'est-ce qui dans leur pratique révèle une dimension d'humanité qui fait que la personne malade, quelle que soit sa vulnérabilité, sentira qu'il y a quelque chose qui se passe entre elle et le soignant ? Quel signal ? Ce n'est pas toujours explicite. Il y a des attitudes qui donnent ce signal. Et comment cela se construit-il ? Une psychothérapeute me disait qu'elle formait les soignants à la manière d'entrer dans la chambre le matin. Est-ce qu'on est réceptif ? Est-ce qu'on est prêt à dialoguer ou non ? Et notamment quand il s'agit de patients atteints de maladie grave. Quand il n'y a plus grand-chose à dire ou à faire. Elle enseigne aux soignants comment entrer dans une relation brève, alors que ce peu de relation a tellement de poids[16]. »

Emmanuel pense que les soignants ne s'engagent pas dans le soin par hasard, ils s'attendent à vivre les

16. Entretien du 21 novembre 2001.

valeurs du soin. Mais beaucoup d'entre eux sont désta-
bilisés lorsqu'ils arrivent sur le terrain, car la culture du
soin varie considérablement d'un service à l'autre. Il
faudrait en prendre la mesure dans la formation :

« Il y a des lieux anonymes, où les gens ont l'impression qu'ils sont interchangeables, des services sans
culture, voire avec des perversités. D'où la grande
déception des étudiants infirmiers ou infirmières à qui
on a inculqué un certain nombre de principes et qui se
retrouvent du jour au lendemain témoins de situations
qui les affectent profondément. Soit ils s'en satisfont et
se disent "il faut faire avec", soit ils se révoltent. Et puis
il y a des services qui ont des cultures fortes, avec une
vraie union entre le cadre et le chef de service, des services accueillants, où l'on a un sentiment d'apparte-
nance, des festivités sont organisées. Il y a une espèce
de non-dit : des choses qui se font, d'autres qui ne se
font pas, on se respecte, on se parle. Même les étudiants
ont l'impression d'exister, de compter, car on leur
demande leur avis. Cela donne de l'importance à leur
rôle. Il y a donc des services qui ont une vie de service,
des modalités de partage dans la restitution de l'information et dans la prise de décision ».

Cette culture maison, Emmanuel dit la trouver dans
certains hôpitaux privés ou en province. Là, « il y a une
espèce de sagesse partagée. On ne cherche pas midi à
quatorze heures, il n'y a pas de comité d'éthique, on sait
qu'on cherche à bien faire, le mieux possible ».

6

Vers une humanité réciproque

Un nouveau modèle de relation entre ceux qui détiennent le savoir et le pouvoir médical et ceux qui, dans leur vulnérabilité, s'adressent à ce savoir et à ce pouvoir est en train de se mettre en place. Signe d'une maturité nouvelle, les malades demandent plus de partage et d'information dans la conduite de leur traitement.

L'ancien modèle, il faut bien le reconnaître, les maintenait dans une sorte d'infantilisation, cantonnés qu'ils étaient dans une dépendance au médecin doté d'un pouvoir divin. Celui-ci se devait d'être bienveillant en échange de la confiance absolue que lui faisait son malade, considéré comme « un incapable, un jouet, aveugle, passif, sans volonté, avec une connaissance imparfaite de lui-même[1] ».

Il faut se réjouir de la maturité dont font preuve les malades d'aujourd'hui. Même si certains préfèrent encore la passivité, la mutation est faite. Les malades sont devenus des adultes, les sujets de leur santé et de leur corps.

On comprend qu'un tel changement bouscule les habitudes. Mais on ne peut pas se plaindre d'une évolution qui implique davantage de conscience, un partage

---

1. Selon l'expression du professeur Louis Portes en 1950.

des connaissances et des responsabilités, une exigence de respect réciproque.

La confiance est-elle en péril ?

L'histoire d'Olivier, racontée au début de cet ouvrage, est révélatrice du changement que nous vivons depuis quelques années. De même, les États généraux du cancer ont montré que les malades sont mieux informés, moins passifs, moins dociles et plus exigeants. Ils ne font plus une confiance aveugle aux médecins et leur demandent des comptes. Ils veulent être des partenaires et des acteurs à part entière de leur traitement.

Cette exigence, c'est la force des techniques et des savoirs médicaux qui la suscite. La médecine, jusqu'à maintenant, avait une obligation de moyens ; sa puissance actuelle fait qu'elle a une obligation de résultats. Il s'est produit, dans les esprits, un renversement de la charge de la preuve. Désormais le principe dit de précaution et l'obsession du risque zéro obligent le médecin à prendre toutes les garanties. La perspective d'un contentieux judiciaire rend ainsi difficile le discernement entre la décision qui protège le médecin et celle qui serait la mieux adaptée au malade.

On assiste ainsi à une défiance mutuelle. Face aux nouveaux comportements de ses malades, le médecin se barricade derrière des positions défensives et peut être tenté d'abandonner ses responsabilités. Il a tendance à se couvrir, à prescrire plus qu'il ne faudrait. Il se sent moins libre. En outre, l'exigence consumériste des malades transforme le médecin généraliste en « machine » à prescrire, sans aucune considération pour ce que l'art médical exige de confiance réciproque, de patience et d'attente avant d'agir. On sent bien que, sans confiance et sans dialogue, la relation médecin-malade risque de perdre toute humanité.

Les médecins se plaignent de perdre la confiance de leurs patients. Mais ont-ils envisagé celle qu'ils pourraient à leur tour leur accorder ? S'ils s'intéressaient davantage à la personne du malade, s'ils faisaient appel à ses ressources, s'ils pouvaient s'asseoir auprès de lui et laisser venir ses questions, cette attitude serait un véritable cadeau pour le malade. Le patient pourrait évoluer d'une confiance aveugle vers une confiance adulte et partagée.

Je me souviens du récit d'un malade, lors d'un colloque au département d'éthique biomédicale du centre Sèvres[2].

Le chirurgien, à qui il avait demandé de « cesser de se taire », est venu un soir dans sa chambre, pour lui expliquer qu'il avait décidé de l'opérer, bien qu'il soit dans l'impossibilité de prévoir le résultat de l'intervention. « J'espère, mais je ne sais pas », lui a-t-il dit.

« Ce soir-là, j'ai reçu l'aveu que ce grand patron de neurochirurgie me faisait de l'impuissance de son savoir et de la fragilité de son pouvoir comme un véritable cadeau. Vraiment, entendre semblable parole d'humilité m'a fait lâcher prise et m'a invité à ne plus me raccrocher à mes anxiétés. Puisqu'il me faisait assez confiance pour me dire "je ne sais pas" et qu'il endossait toute la responsabilité de ce qui adviendrait, je pouvais, en retour, lui donner ma confiance, aussi totale et responsable que possible. »

Si les médecins écoutaient davantage leurs patients, ils découvriraient que ce que ceux-ci attendent d'eux n'est pas si démesuré qu'ils le croient. Même si la tendance à projeter sur le médecin une omnipotence et une

2. Colloque « La confiance en péril », novembre 2000.

omniscience illusoires perdure, les malades savent bien, en leur for intérieur, que la médecine n'est pas toute-puissante, qu'elle a ses limites. Cependant il faut que le médecin assume cette part d'impuissance dans la vérité et l'humilité. Alors, comme nous venons de le voir, le patient peut retrouver une forme de confiance, qui n'est pas une confiance aveugle, mais une confiance adulte.

La perte de confiance des malades d'aujourd'hui s'enracine tout autant dans l'effondrement de leurs attentes à l'égard d'une médecine qu'ils ont longtemps crue toute-puissante que dans l'attitude des médecins qui, s'accrochant eux-mêmes à cette illusion, persévèrent dans un paternalisme dépassé. Ils laissent croire qu'ils savent quand ils ne savent pas, se barricadent derrière un langage ésotérique, évitent le dialogue attendu par leur patient, bref, continuent à réclamer une confiance aveugle quand le malade voudrait comprendre ce qui lui arrive, participer aux décisions qui concernent sa santé et sa vie.

Alors que leur code de déontologie leur fait l'obligation d'une information claire, loyale, adaptée, les médecins sous-estiment trop souvent le besoin qu'a leur patient de savoir. Certains praticiens mentent, distillent des renseignements au compte-gouttes, abusant de leur pouvoir et méprisant la capacité de leurs malades à comprendre et à participer à leur traitement.

Si la défiance qui caractérise maintenant la relation médecin-malade est en partie le fait des malades qui découvrent qu'en devenant plus performante la médecine est devenue plus dangereuse, les résultats plus incertains, les risques de plus en plus nombreux, liés aux thérapeutiques et aux investigations sophistiquées, elle vient aussi, et j'insiste là-dessus, de l'attitude du médecin. Car ce dernier, au lieu de faire confiance à son patient en dialoguant avec lui, en lui expliquant ce qu'il peut faire et ne pas faire pour le soigner, ce qu'il sait et ce qu'il ne sait pas, en se risquant dans une relation authentique avec son patient, se barricade derrière des positions défensives et abandonne ses responsabilités.

Lors de ce même colloque sur « La confiance en péril », l'intervention d'un chirurgien nous a éclairés sur la défiance des médecins. Le changement d'attitude des malades qui demandent plus d'informations, veulent participer aux décisions, et parfois portent plainte lorsqu'ils estiment avoir été mal soignés, a semé l'inquiétude parmi eux, et à leur tour ils se méfient de leurs patients et se protègent.

La plainte en effet est une épreuve. Qu'il s'agisse d'une simple lettre ou d'une action en justice, cette expérience touche profondément le médecin qui la subit. Au-delà des conséquences matérielles, son honneur et sa réputation peuvent être atteints, et l'impact affectif et psychologique d'une telle expérience est plus profond qu'on ne l'imagine, surtout lorsque sa compétence n'est finalement pas en cause. Alors il aura tendance à se couvrir, à prescrire plus qu'il ne faudrait ou, au contraire, à ne pas oser des thérapeutiques plus efficaces mais aussi plus risquées. La défiance mutuelle entre patient et médecin a pour conséquence de déresponsabiliser ce dernier.

La onzième Journée d'éthique Maurice Rapin, le 16 novembre 2001, a abordé la question de l'information des malades. La récente loi « Droits des malades et qualité du système de santé » consacre en effet un véritable partenariat entre le malade et le médecin, notamment en facilitant la mise à disposition du dossier médical. Le besoin d'information et de communication s'impose désormais comme la valeur primordiale à respecter dans la relation de soin.

Claire Compagnon, directrice du développement des actions de lutte à la Ligue nationale contre le cancer, évoque le changement fondamental introduit par l'accès direct au dossier médical mais aussi les passions qu'il soulève. Car si la majorité des malades sont favorables à cette mesure qui les rend plus autonomes, les médecins s'inquiètent devant ce qu'ils perçoivent comme un risque de judiciarisation croissant et une multiplication des exigences de patients de mieux en mieux informés. Praticiens comme établissements de soins sont en effet mis devant l'obligation de changer de culture : le dossier médical ne leur appartient pas ! Il appartient d'abord à la personne malade. En d'autres termes, le secret médical est là pour protéger le malade et plus pour protéger le médecin.

Pourtant, derrière la menace que perçoivent les professionnels de la santé, c'est bien le problème de l'information du patient qui est posé. Or l'information fonde la relation de confiance qui doit s'établir entre le patient et son médecin. Transmettre des informations demande un effort de précision et d'explication qui a un résultat positif : s'ils comprennent mieux, les patients adhéreront plus facilement aux propositions thérapeutiques qui leur sont faites. Ils courront moins d'un médecin à l'autre pour chercher un avis supplémentaire, ils seront moins tentés de déposer plainte.

Communiquer des informations médicales n'a pas seulement un caractère technique. L'acte a une dimension psychologique que les médecins ont sans doute du mal à maîtriser. Nous l'avons vu plus haut, les malades veulent être informés, mais pas n'importe comment, pas n'importe quand, pas n'importe où. Ils demandent à ce que l'information leur soit délivrée avec respect et délicatesse. Ils ne sont pas idiots, ils savent bien que la médecine n'est pas sans risque, et que presque tous les traitements comportent une marge d'incertitude. Ce qu'ils veulent ce n'est pas « tout savoir », c'est trouver une écoute et une disponibilité adaptées à leur cas. Ils veulent pouvoir s'adapter à leur rythme à ce qu'on leur apprend sur leur état de santé. Que signifierait pour eux une information « balancée » sans aucun ménagement, sans aucun accompagnement ? Ce n'est pas le catalogue des risques encourus par un traitement ou une intervention chirurgicale qui intéresse les malades. Avant tout ils veulent comprendre : comprendre ce que l'on va leur faire, comment on va le faire, savoir combien de temps ils vont être hospitalisés, mais aussi le temps qu'il leur faudra pour se remettre, les effets secondaires éventuels. Comme le disait l'un d'eux : « Une fois qu'on a compris, c'est plus facile d'accepter. »

La reconnaissance du droit de savoir suppose aussi celle du droit de ne pas savoir. Nombre de patients et de familles ne sont pas toujours en mesure d'entendre des vérités trop fortes, ou de les entendre trop tôt. Pour avoir travaillé des années auprès de personnes en phase terminale d'une grave maladie, j'ai pu constater que beaucoup préféraient « ne pas savoir », ne posant jamais de questions. Ce refus d'être informé doit être respecté au titre du respect de l'autonomie et de la dignité de la personne.

On voit bien que cette question de l'information du malade s'inscrit à l'intérieur d'une relation de soin. Bien souvent, ce n'est pas tant l'information qui fait défaut qu'une certaine qualité de communication. Il serait vraiment regrettable que l'information se réduise à des dispositifs strictement procéduriers. Cela pervertirait cette relation humaine unique en son genre, qui lie un être vulnérable, malade, souffrant, et celui qui a fait profession de le soigner, de le soutenir et de l'accompagner.

Il a fallu l'extraordinaire pression des associations de lutte contre le sida, l'énergie du désespoir de tous ces jeunes malades condamnés à mourir dans les premières années de l'épidémie, pour que quelque chose bouge à l'hôpital, entre soignants et soignés. Je me souviens de ces médecins tellement démunis devant leurs patients, lorsqu'ils devaient leur annoncer leur diagnostic et assumer leur impuissance thérapeutique face à leur angoisse. Pas question de raconter des histoires. Leurs patients en savaient presque autant qu'eux ! La plupart des médecins faisaient alors la seule chose qu'ils pouvaient et devaient faire : écouter, et promettre de ne pas abandonner. Les consultations duraient bien plus longtemps que d'habitude, et ils ressortaient profondément bouleversés de ces face-à-face éprouvants. Il y était souvent question de la mort, et c'était nouveau pour eux. Ces patients avaient une exigence de franchise, de vérité, de partage de l'expérience sans précédent. En quelques années, ils ont bouleversé la prise en charge des malades à l'hôpital, obligeant les soignants à les respecter comme des personnes à part entière, à tenir compte de leur subjectivité, de leur souffrance psychique. Ils ont fait plus pour l'humanisation de l'hôpital qu'on ne peut l'imaginer. Le sida a fait avancer les choses, du côté des médecins comme des malades. Et si ceux-ci sont plus exigeants aujourd'hui, n'acceptent plus qu'on les infantilise et se posent en partenaires actifs du soin, c'est en grande partie aux sidéens qu'ils le doivent. Si l'on peut critiquer les médecins, leur manque de disponibilité, le fait qu'ils n'expliquent pas les thérapies qu'ils proposent, le bouleversement qu'a constitué l'apparition du sida montre que l'attitude du malade peut inviter à la discussion, au dialogue. On aimerait alors que les médecins fassent alliance avec la force intérieure du malade, qu'ils y croient, qu'ils la soutiennent. On aimerait les entendre dire : « Je vais vous aider à être fort, à construire vos défenses. »

Je pense à cet homme à qui les médecins avaient annoncé qu'il ne pourrait plus travailler, et qui s'est arrangé pour continuer à le faire. À cet autre, interdit de nager parce qu'il n'avait pas assez de globules blancs, qui a refusé ce diktat et a continué à nager tous les jours. À cet autre encore qui est parti à l'île Maurice entre sa chimiothérapie et ses rayons. Quand on lui a expliqué qu'il ne devait pas partir parce que ses séances commençaient dans trois semaines, il a répondu : « C'est ma peau. Je m'en vais et je commencerai mes rayons à mon retour[3] ».

On ne mesure sans doute pas assez l'importance de l'intuition personnelle du malade. On ne la sollicite pas assez. Celui qui porte une maladie n'est pas forcément malade. Cette distinction me paraît essentielle.

Celui qui « est malade » laisse souvent la maladie l'envahir au point de ne plus exister qu'à travers elle. Tout ce qui le constituait avant l'irruption de la maladie semble être passé à l'arrière-plan. C'est la maladie qui règne, et le malade s'en remet aux décisions des médecins. Celui qui « porte une maladie », lui, reste aux commandes du bateau.

Le règne de la confiance aveugle entre le médecin et le malade est donc quasiment terminé. Cela ne veut pas dire qu'aucune confiance n'est plus possible, mais, on l'a compris, qu'elle doit se construire, ou venir de surcroît, dans une relation de partenariat, où l'information est partagée, les décisions prises en commun, et les responsabilités assumées ensemble.

De la plainte à la conciliation

Les malades et leurs familles ont moins peur désormais de pointer ce qui n'est pas acceptable à leurs yeux. Je crois qu'ils font évoluer les choses, que plus ils oseront manifester leur réprobation lorsqu'on les maltraite ou

3. *Livre blanc des premiers États généraux de la santé*, Cerf, Paris, p. 52.

qu'on porte atteinte à leur dignité humaine, plus ils contribueront au réveil des consciences. Les conciliateurs des hôpitaux ont conscience du rôle que les « usagers » de la santé peuvent jouer pour faire évoluer les attitudes. Les plaintes qu'ils traitent leur donnent souvent l'occasion de dialoguer avec les médecins ou les soignants incriminés, et cette confrontation a des effets positifs. Il n'est pas rare qu'un soignant change sa manière d'être lorsqu'il a pris conscience de son impact sur les malades.

Le docteur Wolf est un interniste à la retraite. Il assume la fonction de conciliateur au CHU de Rouen. Il rencontre donc les familles ou les patients qui ont adressé une réclamation écrite à la direction de l'hôpital. Dans la majorité des cas, dit-il, ils n'ont pas l'intention de porter plainte, mais ils souhaitent que des sanctions soient prises. Ils veulent surtout que leur réclamation soit écoutée, prise au sérieux ; ils veulent comprendre pourquoi on a porté atteinte à leurs droits d'être informés, respectés, soulagés. Ils veulent aussi que leur intervention soit utile pour les autres, que les choses ne se reproduisent pas.

La profession de conciliateur est relativement récente. Les premiers postes datent des années 1980. La loi impose maintenant aux établissements de santé d'avoir leur commission de conciliation.

« L'administration juge l'efficacité d'un conciliateur au fait qu'il y a moins de contentieux, explique le docteur Wolf. Mais en fait notre rôle n'est pas de dissuader les gens de porter plainte. Il est de les écouter et de les aider à trouver la bonne voie de recours. S'il y a moins de plaintes, tant mieux ! Cela prouve que les gens se sont sentis apaisés, que nous désamorçons beaucoup de problèmes. Mais cela ne peut être notre objectif numéro un.

« Il y a un certain nombre de cas où les gens estiment qu'ils n'ont pas été assez informés, et c'est vrai que certains médecins communiquent mal. Le deuxième motif de plainte, ce sont les comportements jugés inadéquats [...], les sonnettes placées systématiquement hors de portée, la carafe d'eau inaccessible, de petites négligences vécues comme une gêne très importante ou une humiliation. Le troisième ordre de réclamations concerne la propreté insuffisante des locaux, les histoires de bassins, la façon de dire les choses, la brutalité des remarques, les vérités dites sans tact. Et puis les gens sont très sensibles à l'absence de prise en compte de la douleur. Sur ce point, je suis sûr qu'il y a encore des résistances et des négligences dans le corps médical ; mais il est vrai aussi que parfois le vécu de la famille ne correspond pas à la réalité. À l'extrême opposé, des familles se plaignent parce qu'on endort trop leur malade et qu'elles ne veulent pas qu'il soit abruti. »

Les plaintes viennent surtout des familles. Et presque toujours après l'hospitalisation ou le décès du patient. On n'ose pas se plaindre sur le moment, par crainte de représailles.

Le docteur Wolf me raconte qu'il a reçu une lettre d'un homme se plaignant que l'interne ait négligé de soulager les douleurs de sa femme mourante. « Ma femme est morte, écrit-il, à la fin du week-end, dans des douleurs intolérables, et je ne peux en supporter l'idée. » Wolf a vu cet homme, l'a écouté puis, comme il connaît le chef de service, il lui a demandé de rencontrer son interne. Celui-ci est gentil. Il se souvient de la malade. Il se souvient aussi qu'il venait d'arriver dans le service, qu'il avait peur de n'avoir pas rempli tous les papiers, qu'il ne pensait qu'à ça. Il ne voulait pas toucher à la poche de chimiothérapie, il ne pouvait pas donner d'antalgique par voie orale parce que la malade vomissait. L'interne reconnaît son tort. Il est désolé et s'excuse. Il promet que cela ne se reproduira plus.

Wolf a écrit au mari pour lui faire part de sa conversation avec l'interne, et cela l'a apaisé. La plupart du temps, les plaintes ne vont pas au-delà.

Vers une coresponsabilité de la relation

Les graves problèmes que rencontre l'hôpital aujourd'hui ne sont pas seulement l'affaire de ceux qui y travaillent mais de tous. Le fait que les malades ne se laissent plus faire, ne fassent plus aveuglément confiance aux médecins est une bonne chose.

Mais si leur exigence s'arrêtait là, ce serait dommage. Qu'ont-ils à gagner s'ils découragent ceux qui les soignent, si, à force de méfiance et de plaintes, ils creusent un peu plus le fossé entre soignants et soignés ?

Si j'exige d'un médecin qu'il m'écoute et me respecte, qu'il m'informe et tienne compte de moi, je dois de mon côté lui accorder la même attention. Si je ne suis pas consciente de la réalité de celui qui me soigne, de ses difficultés, de sa vulnérabilité alors même que je l'investis d'une sorte de toute-puissance, si j'attends tout de lui sans me préoccuper un petit peu de lui, si j'exige une disponibilité absolue au mépris des autres patients, si je le rends responsable de tout ce qui ne va pas sans faire la part des choses, alors mon attitude est arrogante. Elle n'est pas humaine. Mon médecin sort peut-être d'une nuit de garde ou d'une réunion harassante avec la direction pour résoudre un problème crucial de personnel. Il vient peut-être d'annoncer une mauvaise nouvelle à un autre patient. De quel droit exigerais-je une écoute et un respect dont je ne serais pas moi-même capable ? Il ne s'agit pas, évidemment, de demander au médecin les raisons de ce que nous percevons comme un manque de disponibilité – le respect impose la discrétion. Mais quand on sait à quel point ce métier est harassant, on peut lui faire comprendre que nous sentons qu'il est préoccupé. Je ne connais pas un médecin qui ne soit pas sensible à ce genre de remarque, quand elle est faite avec délicatesse. Cela ne peut que l'aider à être plus présent.

Les médecins se plaignent souvent de l'égoïsme des malades. Je connais plus d'un généraliste qui a fini par arrêter d'exercer par dégoût pour le peu de compréhension de ses patients. Quand on travaille onze heures par jour, avec la responsabilité énorme qui incombe au médecin, que l'on fait des gardes de nuit ou de week-end, que l'on sacrifie sa vie familiale aux urgences ou à la formation permanente, que l'on fait face, comme tout le monde, à ses problèmes personnels, et que les patients les uns après les autres vous « pompent » votre énergie parce qu'ils savent seulement demander, exiger, sans jamais offrir un mot ou un geste de reconnaissance, alors on s'épuise.

La même réciprocité est valable à l'égard des infirmières. Celles-ci s'occupent de choses dont nous ne voulons pas entendre parler et que nous occultons : la vieillesse, la déchéance physique ou mentale, la misère, la folie, la mort. Nous ne savons pas ce qu'elles vivent et nous sommes peu conscients de leurs conditions de travail.

Les patients savent-ils qu'il est difficile aujourd'hui de recruter des infirmières ? que la diminution de la durée des hospitalisations augmente la rotation des patients et par conséquent la charge de travail ? Savent-ils que les pathologies sont de plus en plus lourdes, les patients de plus en plus âgés, et que l'évaluation de la charge de travail ne tient pas compte de la réalité de certains services ? Savent-ils qu'on impose maintenant aux soignants au moins une heure et demie d'écriture par jour pour tenir à jour les dossiers et qu'une infirmière nouvelle dans le service doit consacrer un temps non négligeable à les lire ? que ce temps de paperasserie est évidemment pris sur celui qu'elle pourrait consacrer à la relation avec les malades ?

On ne se rend pas compte non plus qu'une infirmière se lève parfois à cinq heures du matin, même lorsqu'elle a des enfants, que l'organisation rigide des soins et l'instabilité des plannings lui imposent des horaires incompatibles avec une vie de famille. Des changements à la dernière minute, des rappels à domicile, des week-ends supprimés, tout cela à cause des restrictions budgétaires et de l'impossibilité de faire appel à des intérimaires.

L'humanité des soins n'incombe pas seulement aux soignants. Soignants et soignés sont coresponsables de la relation de soin. Chacun doit savoir se mettre à la place de l'autre.

La façon dont la plupart des malades s'abritent derrière leur statut de souffrant pour se plaindre, exiger, sans l'ombre d'un souci pour ceux qui les soignent, pour les difficultés qu'ils rencontrent, a quelque chose de choquant.

« Comment quelqu'un, fût-il souffrant, peut-il demander à d'autres ce qu'il ne serait pas lui-même en mesure de leur apporter : attention indéfectible, compréhension et ouverture d'esprit et de cœur[4] ? » demande Anne Perraut Soliveres. Les soignants attendent une réciprocité des malades. Ils aimeraient qu'ils les reconnaissent comme des êtres sensibles, avec leurs valeurs, mais aussi leurs difficultés. Ils aimeraient qu'on ménage leur pudeur.

Il faudrait évidemment commencer par abandonner un certain nombre de fantasmes que les uns nourrissent à l'égard des autres, au profit d'une reconnaissance mutuelle. Le malade n'est pas ce « mauvais malade », « chiant », « qui essaie de rouler les soignants », qui se salit « pour les embêter ». Son comportement n'est pas nécessairement une agression. Le soignant n'est pas cette infirmière indifférente, ou sadique, qui fait exprès de ne pas répondre aux appels.

Il faudrait également renoncer à une vision dichotomique où l'un aurait tous les droits parce qu'il est malade et l'autre tous les devoirs, parce qu'il est soignant. Certes,

---

4. Anne Perraut Soliveres, *op. cit.*, p. 2.

la faiblesse des malades et des mourants oblige. Les soignants ont un devoir d'humanité à leur égard, la « faiblesse » s'imposant ainsi à la « force ». Mais il ne faut pas oublier que la faiblesse est aussi du côté de ceux à qui on prête souvent à tort force, savoir, pouvoir.

Les malades et leurs familles ne doivent pas oublier que les médecins et les soignants sont des êtres humains, avec leur histoire souvent parsemée de deuils et de chagrins, leurs blessures secrètes, des humains vulnérables comme les autres. Cette vulnérabilité, ils la cachent. Ce n'est pourtant pas une raison pour ne pas la prendre en compte.

Ces malades qui soutiennent les soignants

Au moment où je termine l'écriture de ce livre, mon amie, Christina Castermane[5], vient de mourir. Depuis deux ans, elle se battait contre son cancer avec une énergie, une joie de vivre qui ont impressionné ceux qui la soignaient. Jacques, son mari, me raconte que les infirmières du service d'oncologie de l'hôpital Sud de Lyon gardent un fort souvenir d'elle. Elles venaient s'asseoir sur le bord de son lit, parce qu'elle leur faisait du bien. Elles se confiaient souvent à elle. Pourquoi ? tout simplement parce que cette femme, bien que gravement malade, s'ouvrait à elles, s'intéressaient à elles. Son chirurgien dit que lorsqu'il lui demandait comment elle allait, Christina répondait : « Et vous docteur ? » Aucun patient ne lui avait jamais fait cette réponse.

Confrontée elle-même à la maladie, Anne Perrault Soliveres rapporte, à propos de l'un des soignants qui s'occupent d'elle : « Je devrais lui écrire combien je le

5. Christina Castermane coanimait avec son mari Jacques Castermane le centre Durckheim à Mirmande.

trouve bon et humain, disponible au-delà de sa capacité à dire. Je suis émue par son courage en face de moi ; je devrais lui dire le bien qu'il me fait, malgré son impuissance, avec son honnêteté[6]. »

Une infirmière auprès d'enfants cancéreux écrit : « Une maman, une nuit, qui veillait auprès de son enfant qui mourait, m'a dit d'aller manger quelque chose, parce que je n'avais pas eu le temps de dîner. C'est une attention dont je me souviens encore. »

Une infirmière de cardiologie se souvient d'un enfant qui, la veille de son intervention, lui a dit : « Madame, j'ai un trou dans le cœur, je ne veux pas mourir. » Il a ajouté : « C'est dur d'être infirmière ! » Quand elle est revenue dans le service, il était mort. Cet enfant, qui s'est préoccupé d'elle, restera toujours comme un baume sur son cœur d'infirmière.

Cette histoire me fait penser à Patrick, ce jeune homme atteint du sida, décédé dans le service Saint-Édouard de l'hôpital Notre-Dame-du-Bon-Secours. La veille de sa mort, lui aussi s'est préoccupé des infirmières. Il s'interrogeait sur le sens de leur travail. « Elles font vraiment un métier dur, a-t-il dit, les yeux pleins de larmes. Je n'aurais jamais pu faire ce qu'elles font. » Il avait eu le temps de les observer quand elles venaient lui faire ses pansements. Il avait honte de ses jambes couvertes de pustules violettes et toutes gonflées, c'était humiliant de s'exposer ainsi aux yeux de ces jeunes femmes. Il se demandait ce qui les motivait à venir s'occuper de la déchéance des autres. Comment faisaient-elles pour garder le sourire, pour lui venir en aide sans lui donner l'impression qu'il était un inca-

6. Anne Perraut Soliveres, *op. cit.*, p. 71.

pable ? « Peut-être que si on se rendait compte davantage de ce que cela représente pour les uns d'être humiliés, pour les autres d'avoir à rencontrer cette humiliation, on s'aiderait mutuellement à supporter cela », disait-il. « Moi, j'ai envie de les aider ces infirmières, alors je fais ce que je peux, je leur souris, j'essaie de me mettre à leur place. »

Claire Compagnon affirme elle aussi que les malades qu'elle a rencontrés sont conscients des difficultés de leur médecin ou de leur infirmière, qui parfois « dérapent » et les « blessent » sans le vouloir. Ils lancent : « Tiens ! aujourd'hui, j'ai bien soutenu mon médecin ! »

Si les patients osaient ainsi confirmer les soignants dans ce qu'ils donnent de bon, ils les aideraient par leur estime à construire cette identité paradoxale et floue dont tant, parmi eux, souffrent. Et l'on sait que les soignants qui n'ont pas d'estime de soi ne peuvent pas à leur tour en avoir pour le malade.

Hénia, une amie qui a subi une réduction bilatérale des poumons, une opération très rare, a souffert de la brusquerie d'un infirmier dans le service de soins intensifs où elle se trouvait. Cette brusquerie le rendait antipathique. Mais elle a eu envie, dit-elle, de briser ce sentiment. Comme il avait un accent étranger, elle lui a demandé s'il était russe. « Pourquoi ? lui a-t-il répondu. – Parce que vous avez un accent slave. » Alors il lui a raconté qu'il était bulgare. Il se trouve que le mari d'Hénia, lui aussi, est bulgare. À partir de cet échange, tout a changé. L'homme est devenu sympathique. « Au fond, dit Hénia, dès que je l'ai traité comme une personne, il m'a traitée aussi comme une personne. Ça prouve que je n'étais pas seule à me sentir considérée comme une inconnue. Lui aussi souffrait de cela. À partir du moment où je l'ai reconnu, il était heureux. »

Anne D., cette ancienne infirmière en oncologie pédiatrique, est aujourd'hui atteinte d'un cancer du sein. Elle a fait plusieurs séjours à l'hôpital pour ses chimiothérapies. De son œil acéré d'ancienne soignante, elle voit tout, tous ces petits détails auxquels le personnel ne fait pas attention et qui peuvent donner l'impression au malade que les soignants « se foutent de lui ». Mais elle sait aussi que s'ils passent à côté de ces petites choses si importantes, c'est qu'ils sont débordés de travail. Cet été, dans sa chambre d'hôpital, il faisait 35 °C. Le soleil tapait sur les vitres et personne n'a eu l'idée de baisser les stores. Bien sûr, elle ne pouvait pas se lever pour le faire. La nuit, sa voisine de chambre ne dormait pas. Réveillée à minuit par les soins que l'équipe de jour n'avait pas eu le temps de faire, à cause de la pénurie de personnel, elle ne pouvait plus se rendormir et elle pleurait. Alors Anne la consolait.

Une autre fois, toujours l'été, alors qu'il n'y avait qu'« une pauvre infirmière pour trois étages », elle a changé elle-même la perfusion de sa voisine qui mourait d'un cancer de l'ovaire. « Puis, je me suis aperçue qu'elle faisait un œdème du poumon. L'infirmière, une jeune qui sortait de l'école, n'arrivait pas à la piquer. C'est moi qui l'ai fait. J'avais ma propre perfusion dans le bras, et je faisais les prélèvements de ma voisine ! » Et lorsque la malade lui a demandé ce qu'elle avait : « Je lui ai répondu que je ne connaissais pas son dossier, mais qu'il me semblait que c'était grave. Elle a fermé les yeux et m'a remercié. Le lendemain, sa sœur lui a apporté des tas de dossiers. Elle a passé l'après-midi à les signer, et le dimanche, elle est morte. »

Bien des malades, conscients de la charge de travail des soignants, aident ainsi leur voisin de chambre, parfois plus démuni qu'eux. C'est cette solidarité entre malades qu'il nous faut développer, puisque les soignants ne peuvent être sur tous les fronts.

Ai-je vécu une utopie ?

J'ai eu la chance, pendant dix ans, de travailler comme psychologue au sein d'un service humain. Il accueillait les plus vulnérables de nos malades, ceux que la médecine ne peut plus guérir, et qui se sentent si souvent exclus du monde de la santé. Certes, les gens y mouraient, mais ils y mouraient vivants. On parlait, on riait, on pleurait, on savait se taire et consoler. Il n'y avait pas d'un côté des bien portants à l'abri derrière leurs blouses, et, de l'autre, de malheureux mourants, souffrants et angoissés. Il y avait des êtres humains qui affrontaient ensemble ce moment fort de la vie qui est sa fin. J'ai travaillé avec des médecins et des soignants conscients des véritables enjeux de la médecine. En dépit de tous les progrès qu'elle a pu faire, celle-ci n'est pas toute-puissante. Les professionnels de la santé se le voient confirmer tous les jours. Et les malades savent bien, eux aussi, que les médecins ne peuvent pas tout. Quand cette vulnérabilité, qui est le propre de l'humain, est assumée par toute une équipe, une sorte de communion se crée entre soignants et soignés qui s'épaulent réciproquement. La solitude est alors brisée. Il n'y a pas d'abandon. Quand la dimension du contact humain et du souci de l'autre existe, celui qui souffre, quels que soient sa douleur, son désespoir, trouve la force de les traverser ou du moins de les porter.

179

À l'origine de ce service pilote – il s'agit de la première unité de soins palliatifs en France – il y a un homme auquel il convient de rendre hommage. Je dis bien un « homme », avant de dire un médecin, parce que c'est précisément sa qualité d'homme, d'humain soucieux de l'autre humain, qui a toujours prévalu dans le combat qu'il a mené pour humaniser l'hôpital : Maurice Abiven l'écrit lui-même dans ses ouvrages[1], il a toujours été profondément choqué, blessé même, par le mépris qu'il percevait chez ses confrères à l'égard de la personne du malade. Sans doute parce qu'il a connu la maladie lorsqu'il était jeune, et qu'il a séjourné longtemps dans un sanatorium, il a conservé une sensibilité intacte, un sens de ce besoin de contact et de chaleur humaine qu'éprouve toute personne vulnérable.

Une image de lui reste fixée dans ma mémoire. L'unité venait d'ouvrir. Nous étions dans cet enthousiasme qui porte tous les projets innovants. Pleins d'énergie et de confiance. Une jeune fille était venue mourir parmi nous. Je ne me souviens plus quel cancer incurable l'avait conduite là, mais je me souviens qu'elle souffrait terriblement, malgré la morphine. Elle se tordait de douleur dans son lit. Maurice Abiven, désemparé, s'est assis à côté d'elle et l'a serrée contre lui. Il a essuyé son visage inondé de larmes, avec ses mains, dans un geste que je vois encore. Celui qu'il aurait sans doute eu s'il avait pris sa propre fille dans ses bras, un geste de père, plein de douceur, plein de consolation. La jeune fille s'est un peu calmée.

Ainsi se comportait l'homme qui, le premier, a eu l'idée de créer un service humain pour que nos malades ne meurent pas comme des chiens, dans la solitude, le mensonge et l'indifférence la plus totale.

---

1. *Humaniser l'hôpital*, Fayard, Paris, 1976, et *Pour une mort plus humaine*, InterÉditions, Paris, 1997.

Dans sa carrière de praticien hospitalier, puis de chef de service, Maurice Abiven a eu le temps d'observer ses confrères. Leur comportement, trop souvent inhumain, vient selon lui de la routine d'une pratique qui conduit « à ne plus regarder ce que l'on fait ». Un manque de conscience est à l'origine du manque d'humanité. Car l'humanité réside dans cette capacité à être conscient de l'autre, à se mettre à sa place.

C'est d'ailleurs parce qu'il est convaincu de cette nécessité d'être davantage conscient de ce que l'on fait et de la raison pour laquelle on le fait, que Maurice Abiven a été l'un des premiers médecins à introduire un groupe Balint[2] dans son service. Il avait observé que, lorsque médecins et infirmières se réunissaient pour parler des malades, pour confronter leurs points de vue, le regard de l'équipe sur ceux-ci changeait, s'humanisait. Les patients eux-mêmes le sentent et le disent. Ils sentent que dans un service de ce type règne un climat particulier, une ambiance bénéfique. Ailleurs, l'hôpital semble ignorer le malade.

Il y a donc eu à l'origine de cette humanité du soin, dont j'ai été témoin, un homme convaincu de l'importance de la parole, d'une parole qui circule, d'une parole vraie et humble, qui irrigue l'humain. Une parole capable de traverser les barrières hiérarchiques, puisque j'ai souvent entendu les aides-soignantes s'adresser aux médecins, et ceux-ci les écouter, parce qu'elles en savaient parfois plus qu'eux sur l'état d'âme du malade.

Et puis, il y a eu une équipe. Des hommes, des femmes volontaires pour se lancer dans cette aventure : créer une unité pilote pour accueillir ceux qui vont mourir. Rien de morbide là-dedans, comme j'ai eu maintes fois l'occasion de le répéter, mais un choix conscient et motivé. Là où d'autres baissent les bras, prennent la

2. Voir *supra*, p. 178.

fuite ou se découragent, en butte au sentiment d'impuissance et d'absurde, ces soignants ont vu l'occasion d'un enrichissement personnel, l'occasion de relever un défi, de transformer un drame en événement plein de sens. « Peut-être que, au hasard d'une rencontre privilégiée, de moments consacrés à quelqu'un de proche de sa fin, nous avons pressenti qu'il pourrait y avoir là des temps forts dans notre vie de soignantes ? » se demande une infirmière[3].

Bien sûr, il y a souvent une dimension de réparation au sein des motivations qui poussent certains soignants à s'engager dans l'accompagnement des mourants. Lequel d'entre eux n'a pas le sentiment d'avoir un jour abandonné un malade en fin de vie ou de n'avoir pas été assez présent auprès de lui ? On trouve aussi une dimension propitiatoire dans ce choix. Chaque geste, chaque marque d'attention ou de sollicitude peut être marqué du désir inconscient que quelqu'un fasse pour soi, le jour venu, ce que l'on a fait pour les autres. Et puis, tout simplement, bien des médecins et des infirmières ont vu mourir des gens dans des conditions inacceptables, inhumaines, dans d'atroces douleurs ou dans l'indifférence générale, abandonnés de tous. Ils se sont alors promis que cela ne se reproduirait « jamais plus ! ».

Ainsi notre équipe s'était-elle assigné un autre rôle : ne pas abandonner celui qui va mourir. « Avec toute l'habileté dont nos mains sont capables, avec toutes les ressources de notre imagination et de notre savoir-faire, réussir à ce que ce corps brisé et douloureux souffre le moins possible de sa dégradation, subisse au minimum sa dépendance, et conserve sa dignité et sa beauté. »

Pour relever ce formidable défi, il nous a fallu commencer par accepter notre vulnérabilité. Je me souviens

---

3. Postface au livre de Bernard Martino, *Voyage au bout de la nuit*, Balland, Paris, 1987.

que nous nous sommes tous réunis un après-midi, quelques mois avant l'ouverture du service, pour en parler. Chacun a pris la parole pour rapporter aux autres comment la mort avait fait irruption dans sa vie, comment elle l'avait blessé. L'un a raconté la mort de son père, l'autre la perte de son enfant, un troisième le suicide d'un frère. Nous prenions conscience de l'universalité du deuil. Nous en avions presque tous souffert. Cela nous a rapprochés. Nous ne pouvions plus nous regarder seulement comme des professionnels bardés de leur savoir-faire. Nous étions bel et bien des humains, vulnérables et mortels, capables aussi de souffrir et de pleurer.

Paradoxalement, cette prise de conscience de notre vulnérabilité a été une de nos forces. Savoir que l'on pouvait exprimer sa fragilité devant les autres, laisser venir une émotion sans se sentir jugé ont constitué un des piliers de cette fameuse « compassion d'équipe » sans laquelle je me demande comment les soignants peuvent affronter la souffrance et l'angoisse de leurs malades, et la pression des familles. On sait que dans les services qui refusent aux soignants le droit d'avoir des états d'âme, qui exigent d'eux la maîtrise, sinon le refoulement, de leur dimension affective, la rotation des infirmières est plus grande. Nous avons appris au contraire à faire une place à l'affectif, à l'accepter comme une dimension naturelle. Et nous avons constaté que cette reconnaissance de l'humanité des soignants est en soi un garde-fou.

Nous allions côtoyer au quotidien les souffrances de ceux qui vont mourir et de leurs familles. Il était impératif que nous réfléchissions aux limites de notre action. Que nous fassions la différence entre ce que nous pouvions faire et ne pas faire. Nous pouvions beaucoup. Soulager les douleurs physiques, veiller au confort des malades, être attentifs à leurs besoins, respecter leur intimité, ouvrir notre service aux proches, les accueillir, les soutenir pour qu'ils puissent également accompagner les malades. Cette présence, cette attention, nous étions en mesure de la donner, à condition de rester humbles. Trop souvent, la perspective de la mort d'un patient est vécue comme l'échec de la médecine. Ce sentiment d'échec génère de la révolte, un malaise si grand que l'on s'abrite derrière des conduites défensives, ou qu'on prend la fuite. Nous savions que nous devions dépasser ce sentiment d'échec : nous n'étions pas tout-puissants !

Nous savions aussi que notre rôle n'était pas d'éradiquer toute souffrance, et notamment pas ses aspects psychique et existentiel. Comme le disait une infirmière chargée de la formation, « les soignants souffrent parce qu'une part de la souffrance de leurs malades est impossible à soulager. Mais il faut l'accepter. Cette part de la souffrance qui ne peut être supprimée, c'est la souffrance existentielle. Chacun peut la porter, à condition de ne pas se sentir seul[4] ».

Le soutien réciproque des soignants face à la souffrance existentielle des mourants nous a paru essentiel. Nous avons donc institué l'habitude de nous réunir pour échanger, pour penser notre pratique, pour mettre en commun nos difficultés. Plus on fait le deuil d'une certaine idéalisation, plus on assume sa difficulté d'être, plus on est dans le souci de l'autre.

Un jour, au cours d'un jeu de rôles animé par une psychologue extérieure au service, une infirmière qui avait bien voulu « se mettre dans la peau » de son patient a senti exactement ce qui lui ferait du bien dans la circonstance qu'elle décrivait. Cette façon de se mettre en pensée à la place de l'autre et de percevoir ce qu'il peut éprouver est une des manières les plus effi-

---

4. Propos tenus par Marie-Gabrielle Hentgen, formatrice à l'IFSI de l'hôpital Paul-Brousse.

caces que je connaisse d'ajuster son attitude au malade. L'infirmière a pris conscience de la distance défensive qu'elle opposait à son patient, elle a compris combien il avait besoin de proximité et de chaleur humaine. Et cette prise de conscience profonde, qu'elle a exprimée avec une certaine émotion, a été accueillie avec respect par le reste du groupe.

Voilà l'esprit dans lequel nous avons travaillé. Si nous avons eu le sentiment d'être des humains au service d'autres humains, c'est que la personne était au centre de nos préoccupations. Pas seulement la personne du malade, mais chaque personne impliquée dans l'accompagnement et les soins, les proches comme les soignants. Une humanité réelle est donc possible, au sein d'un hôpital. J'en ai été témoin, je l'ai partagée. Dans le désenchantement actuel on finirait par l'oublier. Ma question aujourd'hui est la suivante : pourquoi ce que nous avons vécu là, dans ce petit service de soins palliatifs de l'institut Montsouris, n'est-il pas exportable ailleurs ?

Ce principe du souci de l'autre devrait guider toutes les équipes. Il devrait irriguer l'ensemble de la médecine de la naissance à la mort.

Une de nos aides-soignantes me disait : « Ce pourrait être mon père ou ma mère ! Je fais pour eux ce que j'aimerais qu'on fasse pour les miens. »

Si chacun se mettait ne serait-ce qu'une seconde à la place de l'autre, il y aurait plus de respect. On ouvrirait la porte plus doucement, on enverrait un signe d'accueil, un sourire, on tendrait la main, on parlerait moins fort. Ces gestes ne demandent pas plus de temps ni plus de personnel, simplement plus de conscience.

Au terme de l'enquête que j'ai menée, je suis persuadée que, même si la réalité économique nous éloigne tous les jours un peu plus de l'humain, même si nous sommes conscients des difficultés qui nous attendent, nous pouvons tous, chacun à notre place et à notre niveau, nous battre pour nous apporter les uns les autres cette humanité à laquelle nous croyons et à laquelle nous aspirons.

Mais il faut cesser de fuir nos responsabilités, de nous cacher derrière les dysfonctionnements multiples de notre système de santé, même s'ils sont bien réels, et des mises en cause des gouvernements successifs.

L'hôpital est en crise, certes. Mais les crises offrent aussi l'occasion d'un réveil des consciences et des solidarités. Sur les champs de bataille, quand la guerre fait rage, c'est aussi là que se manifestent les élans les plus généreux. Sur les lieux d'attentat ou de séisme, des hommes et des femmes donnent d'eux-mêmes pour venir en aide aux plus démunis. Dans les camps de la mort, au milieu de l'horreur générale, toujours des êtres ont maintenu vivante la flamme de l'humain.

Dans son rapport « Éthique et professions de santé[5] », Alain Cordier insiste sur l'éveil des consciences. Un éveil qui concerne tout le monde. Pas seulement les acteurs du monde de la santé, mais les malades, les familles.

« Il n'y a pas d'éthique collective possible sans ancrage dans une éthique de chaque personne. Cette affirmation-là est fondatrice… Il y a une éthique de l'administration des soins, mais aussi une éthique de leur sollicitation et de leur réception. La réflexion éthique appelle chaque soigné autant que chaque soignant. Il faudra toujours s'interroger sur les voies et les moyens de les faire progresser ensemble. »

C'est à cette interrogation que j'ai tenté d'inviter le lecteur.

5. Rapport remis à Jean-François Mattei en mai 2003.

Qui ne fera, au moins une fois, l'expérience d'être « un homme couché » ? Serons-nous de « bons » ou de « mauvais » malades ? Saurons-nous poser un regard d'humanité sur ce médecin dont nous percevrons l'angoisse ? Ou sur cette infirmière fatiguée ? Ou sur cette jeune aide-soignante en train de faire notre toilette intime ?

L'humanité de l'hôpital ne passe pas seulement par des solutions (plus de temps pour les soignants, formation à l'écoute et au dialogue) mais par un processus de prise de conscience.

« À travers les évolutions du passé, il est malgré tout concevable d'envisager avec une certaine confiance un futur aux contours certes encore difficilement définissables, mais qui favoriserait une intelligence collective, une ouverture créative. Il s'agit en fait d'appréhender un processus davantage que des solutions. » Cette phrase de Jonathan Mann, citée par Emmanuel Hirsch en exergue à son dernier livre[6], met l'accent sur deux concepts forts, la confiance – confiance en l'avenir, confiance dans les capacités humaines d'évoluer – et l'intelligence collective de l'humain, la capacité que nous avons tous de prendre conscience des liens qui nous unissent les uns aux autres et du rôle que chacun d'entre nous peut jouer pour qu'il y ait un peu plus d'humanité et de dignité dans notre monde.

6. Emmanuel Hirsch, *op. cit.*

Postface

Ce livre est traversé par une question : qu'en est-il du souci de l'autre chez les professionnels de la santé et à l'hôpital ?

Au moment même de sa publication, un événement sans précédent vient apporter un début de réponse.

Pour la première fois, des professionnels de santé de toutes les spécialités (médecine, oncologie, urgences, réanimation, pédiatrie, neurologie, gériatrie) se sont réunis pendant deux jours, dans le cadre d'une Conférence de consensus sur l'accompagnement des personnes en fin de vie et de leurs proches. Il s'agissait de dégager un socle commun de bonnes pratiques et de réfléchir à la meilleure manière de répondre à la demande d'attention, d'écoute, de respect et de présence exprimée par la personne au seuil de sa mort et par ses proches. Un texte de recommandations, validé par l'ANAES, est sorti de cette rencontre.

Il témoigne d'une véritable prise de conscience. Tous les soignants se sentent concernés par la démarche d'accompagnement, qui ne se limite d'ailleurs pas à la fin de vie, mais anime l'acte même de soigner.

« Le devoir d'accompagnement a valeur de civilisation, de culture, de sociabilité. Il touche au principe même du "vivre ensemble", du lien social exprimé par des solidarités concrètes. Il engage l'ensemble de la société dans son exigence de non-abandon. »

Cette prise de position des professionnels de santé confirme qu'ils n'entendent pas se défausser de leurs responsabilités dans le champ de l'humain et du relationnel. Les soignants veulent pouvoir rester fidèles à leurs valeurs de soin, mais ils demandent aussi à ce qu'on leur donne les moyens de l'être, c'est-à-dire à ce que les politiques et la société dans son ensemble se mobilisent pour changer les règles du jeu.

Remerciements

Je tiens à remercier toutes les personnes qui ont accepté de m'aider à écrire ce livre, de me rencontrer et de répondre avec une très grande sincérité aux différentes questions que j'ai pu leur poser au cours de l'entretien qu'ils m'ont accordé : Jean-Pierre Améris, Marie Thérèse Balcraquin, M. Barrault, le docteur Sadek Béloucif, M. Dominique Benetteau, le docteur Roland Bérard, Suzanne Bévan, le docteur Laurence Bolsinger, Odile Bodo, Olivier de La Baume, le docteur Pierre Canouï, Marie-Andrée Chausson, Marie-Pierre Césari, Claire Compagnon, Anne Deneuville, le docteur Patrick Dewavrin, Hervé Devinne, Jean-Yves Frénot, Martine Gallois, Élisabeth Garcia, Maria Garcia, Jacqueline Girard, Amélie Haupais, Emmanuel Hirsch, Jean de Kervasdoué, le docteur Myriam Kirstetter, le professeur Didier Meillère, le docteur Jean-Luc Meyer, le docteur Jean-Christophe Mino, Marie-Françoise Nozière, le docteur Thierry Parmentier, le docteur Patrick Pelloux, Suzanne Rameix, Jean-Claude Reboul, le docteur Michel Rougé, Marie-Dominique Sarteel, le docteur Daniel Serin, le professeur Didier Sicard, Georgette Tinjod, M. de Tovar, le docteur Valensi, Bertrand Vergely, le docteur Louis Wolf, Hénia Ziev, ainsi que la petite Anne de l'hôpital de la Pitié-Salpêtrière.

Une partie de ce livre a été travaillée et rédigée au monastère de Saorge, résidence appartenant aux Monuments nationaux, et destinée à recevoir des écrivains désireux de s'isoler pour écrire. Je tiens à remercier Jean-Jacques Boin, son administrateur, qui m'a accueillie et soutenue dans mon travail avec beaucoup d'amitié.

Merci aussi à Nicole Lattès et à Antoine Audouard, ami fidèle et directeur d'écriture sans pareil.

Table